D0414850

COMME UN CRI DU COEUR

ÉDITIONS L'ESSENTIEL
Montréal
1992

Données de catalogue avant publication (Canada)

Vedette principale au titre :
Comme un cri du coeur : témoignages
« Antonine Maillet, Hubert Reeves, Guy Corneau, Agnès Grossmann, Pierre Dansereau, Albert Jacquard ».

ISBN 2-9801062-5-9

1. Québec (Province) — Biographies. I. Maillet, Antonine, 1929-

FC2925.1.A1C65 1992 920.0714 C92-096260-2
F1051.8.C65 1992

Couverture : Pierre Peyskens
Typographie : P.L.B. Graphique Inc.

Dépôt légal : 1er trimestre 1992
Bibliothèque nationale du Québec
Bibliothèque nationale du Canada

Pour l'édition Européenne en langue française
Guy Saint-Jean Éditeur Inc.
ISBN 2-920 340-70-0

DIFFUSION

FRANCE
Quorum-Magnard Diffusion
5, Boul. Marcel Pourtout
92500 Rueil Malmaison
France

BELGIQUE
Diffusion Vander s.a.
321 Avenue des Volontaires
R-1150 Bruxelles, Belgique

SUISSE
Transat s.a.
Rte des Jeunes, 4 ter
Case postale 125
1211 Genève 26, Suisse

AMÉRIQUE
Diffusion Prologue Inc.
1650, boul. Lionel-Bertrand
Boisbriand (Québec) Canada
J7H 1N7

LES ÉDITIONS L'ESSENTIEL INC.
C.P. 208, SUCCURSALE ROXBORO
ROXBORO (QUÉBEC) CANADA H8Y 3E9

ISBN 2-9801062-5-9

Table des matières

Avant-propos

« Chaque vie a son secret ; chaque secret, sa confidence ». Une émission de radio des années cinquante débutait ainsi, nous conduisant à l'univers fascinant de la confidence. Quel est le moteur secret qui fait que quelqu'un se lève, ose marcher, tenir bon contre l'épreuve du dehors et la fragilité du dedans pour parvenir à donner un sens à sa vie ?

Nous avons demandé à six personnes de nous dire leurs raisons de vivre, le ressort intérieur qui les a guidées. Nous avons adressé notre requête à des gens qui nous semblent avoir réussi leur vie, malgré l'ambiguïté de ce terme. Qu'est-ce que réussir sa vie ? Ce n'est ni le succès en lui-même, ni l'argent, ni la renommée, mais une certaine qualité du coeur, une fidélité qui mènent la personne à déployer tout à fait le germe de vie qui l'habite.

Guy Corneau, Pierre Dansereau, Agnès Grossmann, Albert Jacquard, Antonine Maillet, Hubert Reeves sont tous des personnes déjà célèbres dans leur milieu et poursuivent une carrière internationale. Au-delà de leur renommée, nous avons voulu savoir le paysage intérieur de leur coeur, ce qui nous fait nous reconnaître en eux, ce qui les fait se reconnaître en nous. Chez chacun, nous avons voulu rejoindre l'être humain dans ses doutes, ses fragilités, ses espoirs.

Six personnes, six témoignages. Il ne s'agit pas de six biographies, mais de six confidences. L'accent n'est pas mis d'abord sur la croyance « ce que je crois », mais plutôt sur l'élan intérieur. Chaque auteur a choisi le genre littéraire qui lui convient, en toute liberté. Un psychanalyste, un écologue, une musicienne, un généticien, une romancière, un astro-physicien. Quatre hommes, deux femmes. Deux vivent en France, quatre au Québec, mais la Terre est leur patrie.

Qu'ont-ils en commun ? Un souffle de vie prodigieux, un amour de la vie hors du commun, une foi intérieure. Et la tendresse de nous dévoiler un peu le secret de leur coeur.

Merci.

André Beauchamp, directeur du projet

Jo Ann Champagne, éditeur

Antonine Maillet

Née à Bouctouche, au coeur de l'Acadie, Antonine Maillet a d'abord fait carrière de professeur. Mais c'est comme auteur qu'elle s'est principalement illustrée, en particulier grâce à La Sagouine (Leméac, 1971, 1973, 1974, 1986 ; Grasset, 1976) qui raconte dans la beauté de la langue acadienne la sagesse ironique du peuple.

Prix Goncourt en 1979 pour son roman, Pélagie-la-Charrette (Leméac, 1979 ; Grasset, 1979), Antonine Maillet poursuit avec succès une carrière de romancière et de dramaturge. Chez elle, la tendresse et l'humanité des personnages ne cessent de nous émouvoir. Gapi, Gribouille, Sullivan, Mariaagélas, Crache-à-Pic, Emmanuel portent l'héritage à la fois de l'Acadie, terre de douleur et d'espérance, et de la destinée humaine tout entière. Son oeuvre respire d'un souffle épique où les pauvres ont la stature des héros.

Les habitants des trous noirs

PHOTO : GUY DUBOIS

La veille de mes dix ans, j'ai passé une partie de l'après-midi dans le hangar à bateaux de mon lointain cousin Thaddée à Louis à Damien, descendant des mêmes ancêtres que mon père. Il construisait des chaloupes, des doris, des canots, pour vivre ; et pour s'amuser, le soir, il fabriquait des goélettes miniatures. Certains prétendaient qu'il avait le don ; d'autres des doigts de fée ; moi j'étais sûre que Thaddée était un dieu tombé : tombé puisqu'il habitait le pays des côtes, dieu pour tout le reste.

Thaddée était un dieu. Dieu avec un grand D : à dix ans, je n'en avais pas encore rencontré d'autres. Le plus grand Dieu pour moi, le seul qui méritât qu'on s'occupe de lui, c'était le Créateur du ciel et de la terre... de la terre surtout, celle qui m'avait vue naître. Car à quoi eût servi la terre sans moi ? Je veux dire : comment justifier l'existence du monde, si moi, qui en étais le centre, n'y avais pas ma place ? Et j'en étais forcément le centre puisque, vu du haut de mes dix ans, le monde était tout rond et faisait cercle autour de moi. Si l'univers est une sphère, et que j'en aperçois la circonférence de partout à égale distance de moi, il faut que ce moi-là en soit le centre.

J'en étais là dans mes réflexions, les yeux au ciel et les fesses dans le bran de scie, quand j'entendis mon vieux cousin Thaddée parler de Charlemagne.

Parce que la vie de Thaddée, voyez-vous, avait commencé bien avant lui ; elle prenait ses racines dans un passé qui se perdait dans une broussaille généalogique où trônait un certain Charlemagne. Je m'assis en sauvage sur un tas d'écopeaux. Car je savais qu'une fois lancé, Thaddée était de calibre à se donner pour ancêtres aussi bien le couple Marie-Joseph que tout le paquet des onze mille vierges. Charlemagne n'avait plus qu'à bien se tenir. J'avais appris chez Thaddée à distinguer l'histoire vraie de la fantaisie, avec préférence pour la fantaisie. L'important était de ne pas interrompre le conteur, sinon pour le relancer à coups de *bien sûr* ou de *si fait,* à l'instant où il prenait son souffle. Technique qu'un enfant de dix ans maîtrise comme un diacre sous-diacre.

— Si fait, que je fis à la révélation que mon père aussi était issu de Charlemagne.

Ce jour-là, qui était le dernier de mes neufs ans, j'ai reçu mon plus beau cadeau d'anniversaire. Thaddée m'offrait sur un plateau fabriqué de ses propres mains l'histoire plus vraie que vérité, plus réelle que l'histoire elle-même, plus merveilleuse que tous les contes merveilleux réunis. C'était la petite histoire de ma famille, transposée, transfigurée, où se mélangeaient le drôle et le pathétique ; où de véritables héros hantaient les maisons grand-grand-paternelles ; où j'entendais pour la première fois une langue que j'avais toujours connue parce que j'étais venue au monde avec ; où des trésors d'une autre époque m'étaient rendus d'un seul coup par droit d'hairage, parce que je descendais de tout un lignage du meilleur monde... des fous, des clowns, des rois Pétaud, des valets de pique, des apprentis sorciers, des chevaliers et des pions, des assiégés et des assiégeants, des hallebardiers, des croisés et des troubadours.

— C'est quoi, ça ?

— Qui, les troubadours ?

... Autant avouer ceux-là pour ne pas les nommer tous.

Et le conteur, emballé comme un pur-sang, partit en quatrième vitesse. Je ne pouvais plus suivre, et je suppliai des yeux mon cousin de ne pas me laisser derrière. Il s'arrêta et revint me chercher.

— Le plus beau métier du monde, le plus vieux, celui que tu portes dans tes veines de mille ans, c'est le métier de troubadour. De raconteur.

Je refis surface et m'apprêtai à le suivre.

... Tu peux y aller, Thaddée.

Il y alla.

Et le Thaddée-troubadour m'entraîna à travers les contes, les fables, les fabliaux et la chronique des ancêtres jusqu'à l'origine de ma famille, quelque part au début des temps. Ces bons vivants de nos aïeux, ces cous raides, ces durs à cuire, ces descendants à bâbord de l'Arche de Noé, ces Jonas sortis avant terme et par le mauvais bout de la baleine, ces héritiers de la fesse gauche d'Adam et Ève, tous ceux-là sont venus atterrir ensemble à mes pieds, dans la sciure de bois du hangar à bateaux de mon cousin Thaddée.

— Et c'est pas tout, songe à tous les autres.

... Les autres ? Il y en avait encore d'autres ?

— Mais voyons ! À ton âge, tu devrais bien savoir.

À mon âge ! J'allais sur mes dix ans... je ne pouvais pas tout savoir, cousin.

— Songe à ta petite soeur qui n'a pas vécu huit jours, et à celle-là qui n'a pas eu le temps de venir au monde.

... On pouvait manquer de temps pour venir au monde ? rater sa naissance ?

Et Thaddée m'expliqua. Il me raconta la vie de tous ceux qui ne l'avaient pas reçue et qui restaient à jamais des êtres possibles. J'entendais le mot pour la première fois : mes frères et soeurs les possibles. Les milliers, les milliards d'oncles, d'arrière-tantes, de voisines, de cousins du troisième ou quinzième degré, de grands-grands-parents, de soeurs du beau-frère de la marraine du père d'une parente du deuxième lit, d'ancêtres qui auraient pu figurer dans ma lignée mais qui ne virent jamais le jour parce que d'autres étaient nés à leur place. Une autre pareille à moi, qui avait sûrement ambitionné de vivre elle aussi pour entendre comme moi un conteur lui raconter son histoire ; pour pouvoir s'envoler du hangar à bateaux tout de suite après, les bras au vent, la tête tournée vers le soleil, les pieds dansant sur les cailloux bleus ; cette autre-là ne pouvait ni rire ni chialer, ni jouer à bouchette-à-cachette, ni se chamailler avec ses frères, ni se blesser, ni guérir de sa blessure, ni faire enrager, ni rêver, ni désespérer, ni rien, elle ne pouvait rien, parce qu'elle n'était rien. J'avais pris sa place.

Je regardai Thaddée droit dans les yeux.

— C'est pas juste.

— Comment ?

Je répétai :

— C'est pas juste. Ma petite soeur, et mon autre grand-mère, et toutes les Tonine possibles... c'est pas juste.

J'étais scandalisée. Tant de possibles qui ne viendraient jamais peupler mon monde, me donner la réplique, partager mes jeux, qui ne connaissaient même pas mon existence et ne pouvaient donc pas savoir qu'à ce moment précis, du fond d'un hangar qui sentait le bois franc, j'étais en train de rêver à eux, de leur imaginer une vie, de les désirer.

— Ils sont comme des morts ?

— Même pas. Pour mourir, il faut avoir été vivant. Ils sont des petits riens, capables à eux tous de remplir les infinis espaces laissés en plan de l'univers.

Puis Thaddée se dirigea vers la fenêtre et accrocha ses yeux aux petits nuages blancs qui naissaient de la mer comme une volée de goélands.

— Et quand je dis l'univers, qu'il fit, je parle de celui-ci. Pas de tous les autres... possibles.

Ma tête s'est mise à tourner telle une girouette abandonnée à trente-six vents. D'autres univers possibles ? D'autres terres pareilles à la mienne où j'étais bien plantée, enracinée, nichée pour y passer une vie à l'abri, une vie qui se déroulait chez moi à Bouctouche, au plein coeur du pays des côtes ? Cette vie-là aurait pu s'en aller se ficher ailleurs ? Ainsi mon monde aurait pu être un autre monde ; ma famille, mon cousinage, une autre parenté ; mon

C'est vrai. À trois ans, j'aurais sans doute demandé aux dieux un bicycle à trois roues.

— Réfléchis bien, me dit ma mère, ce jour-là ne se présente pas deux fois dans une vie. Assure-toi de souhaiter la chose que tu voudras encore à quarante ans.

À quarante ans ! Mais que peut-on vouloir encore à quarante ans ? J'ai réfléchi de toutes mes forces, fixant mon attention sur une longue vie de quarante ans, de cent ans...

J'ai revu Thaddée, mon lointain cousin, au mitan d'une flotte de chaloupes et de canots tanguant dans le bran de scie. J'avais caressé, la veille, les goélettes et les bâtiments miniatures qui voguaient sur les étagères de son atelier. Thaddée avait un don, personne ne le niait. Mais surtout, il avait réalisé son rêve, un rêve assez vaste pour durer toute une vie : reconstruire avec des restes de planches des chaloupes qui prendraient la mer pour de vrai, des galions et des goélettes d'une autre époque qui partiraient sur l'océan des rêves.

J'ai scruté le visage de ma mère à la recherche d'un point d'appui : Donnez-moi un point d'appui, avait répété mon père après bien d'autres, et je soulèverai la terre. Je ne désirais rien de moins. Un rêve, un seul, un seul voeu pour toute la vie qui me projetterait au-dessus du monde, me montrerait ma propre planète vue de si haut que toute ma vie m'apparaîtrait soudain, se reflétant dans mon bol de soupe. Je souhaitais, comme Thaddée, un don. Non pas celui de construire des bateaux ; quelque chose plus à ma portée. C'est alors que je me suis souvenu de ma naissance, à midi, sous les douze coups de l'angélus, alors que mon père avait récité que le Verbe s'était fait chair. Le verbe... la parole... les mots. Thaddée m'avait révélé qu'avec des mots, on pouvait aussi refaire le monde, ressusciter les ancêtres, donner la vie aux millions de millions qui ne l'avaient pas reçue...

J'enfonçai la tête dans mon cou, je fixai le bout de mes chaussures et j'articulai, lentement, mais à voix très basse pour être entendue des seuls possibles :

— Je souhaite raconter l'histoire vraie des autres, ceux-là qui sont pas nés, qui ont point gagné la loterie.

Ma mère a tendu l'oreille, puis a souri pour faire accroire qu'elle avait compris. J'ai fouillé sa prunelle jusqu'au roc, et je suis retombée sur le plancher des vaches : j'avais souhaité l'impossible. Un tel voeu était trop grand pour moi, née en plein coeur de la crise, petite fille d'une famille comme les autres, dans un village perdu sur les côtes d'un pays où ne flottait même pas un drapeau. J'aurais dû me contenter d'une bicyclette, d'un toboggan, d'un voyage dans les vieux pays, d'un beau mariage à vingt ans, ou d'une vie tranquille et sage pour devenir la consolation de mes parents sur leurs vieux jours. Si ç'avait été à refaire...

... Si ç'avait été à refaire, j'aurais refait le même voeu, parce que je ne l'avais pas choisi, parce qu'il avait surgi tout seul, parce que quelqu'un au fond de moi-même avait choisi pour moi. Quelqu'un qui se cachait là, dans mon ventre, dans mes reins, qui s'appelait l'autre moi, celui ou celle qui aurait pu naître à ma place et qui aurait fait un voeu ce jour de ses dix ans, sans doute en pensant à moi.

Puis j'ai eu vingt ans, et trente, et quarante. Que peut-on désirer encore à quarante ans ?

Je me suis rendue chez Sarah, la tireuse de carte.

— Il faut brasser, qu'elle me dit, couper, faire votre souhaite. Le souhaite que vous voulez, ça, ça vous regarde. Asteur j'allons voir quoi c'est que la vie vous a baillé et quoi c'est qu'elle vous résarve.

Et Sarah fit courir entre les cartes des doigts noueux et crevassés. À elle seule, cette fourbisseuse qui achevait sa vie à genoux devant son seau d'eau sale qui reflétait un visage qui ne s'était jamais miré ailleurs que dans la crasse des autres, à elle seule, cette femme me racontait l'histoire et l'âme de tout un peuple.

— J'ai peut-être la face noire pis la peau craquée, mais j'ai les mains blanches, madame ! Les mains blanches parce que j'ai eu les mains dans l'eau toute ma vie.

Elle me racontait ses dix-neuf enfants, ceux nés entre la Toussaint et la fonte des neiges, morts avant d'avoir été ondoyés, et ceux qu'elle avait réussi à réchapper, pour un temps ; elle me parlait des Églises et des gouvernements qui, à l'occasion des naufrages, des guerres ou des crises économiques, se souviennent parfois des déshérités... par chance qu'y a eu la guerre, vous trouvez pas ?... Elle me disait son impatience du printemps, la saison non pas des jeunes et des amoureux et des bien-portants, comme on a toujours cru, mais des pauvres, des malades et des vieux, les seuls qui ont eu du mal à traverser l'hiver ; elle m'avouait son appréhension de la mort et d'un Au-delà qui pourrait peut-être trop ressembler hélas ! à ce monde-ci, mais n'en rêvait pas moins d'un paradis de fricot au petit-noir, de tarte au coconut faite au magasin, et d'un Dieu le père qui viendrait en personne câler la danse du samedi soir! Pour un paradis comme ça, elle ne rechignerait point devant la mort, garanti!... Puis elle replongea la tête dans ses cartes et m'annonça, radieuse:

— Eh ben vous, vous l'avez votre souhaite, votre bonheur de vie, vous l'avez. C'est point moi qui le dis, c'est les cartes. Un curieux de souhaite, si vous voulez mon dire. C'est comme si vous aviez déniché un trésor, ma grand foi Dieu! Peut-être pas un trésor en argent, ça m'a l'air d'autre chose... c'est malaisé à lire dans vos cartes à vous... vous avez votre souhaite, et c'est de quoi de bon, un vrai trésor, qui se trouve... excusez-moi, mais si c'était pas que je craignais de blasphémer, je dirais que je suis assise dessus! Grand Dieu! ça serait-i' que vous auriez souhaité de vous plonger la tête dans mon siau?

Pauvre Sarah, si elle avait su! Mon souhait flottait en effet dans son seau d'eau sale, il se reflétait dans ses yeux creux et bleus comme la mer de juillet, il remplissait son logis à ras bords.

Je suis sortie de sa cabane en tricolant comme un vieux soudard. À cet instant précis, j'ai su qu'un jour j'écrirais cette histoire, cette femme, cette Sagouine. Je n'avais pas souhaité autre chose durant toute la séance des cartes. J'aurais mon souhait, elle me l'avait juré, craché.

Tu peux te compter chanceuse.

Après Thaddée, le vieux conteur-troubadour-défriteux-de-parenté, une sorcière-tireuse-de-cartes-liseuse-dans-les-étoiles me confirmait ma destinée: j'avais gagné le gros lot. J'étais en vie.

Mieux. J'avais la possibilité de la transmettre à des millions de possibles : à ces Sagouine, ces Mariaagélas, ces Sainte, ces Piroune, ces Bessoune, ces Gapi, ces Don l'Orignal, ces Noume et ces Citrouille, ces vieux radoteux de Clovis, ces endiablés de Tit-Louis et tous ces autres drôles qui ne sont pas en vie mais qui sont pourtant plus vrais que vous et moi. Tous ceux-là qui aspirent de toutes leurs forces à l'existence, je pouvais, par la seule magie de mon crayon, les mettre au monde.

Et je m'attaquai à la tâche avec plus d'acharnement qu'une mère de quinze enfants. Pour rattraper les siècles perdus, je multipliais les familles nombreuses. J'enfantais dans chaque livre deux ou trois paires de jumeaux. Toutes les veuves enragées qui avaient hanté mon enfance, toutes les filles à matelots qui pullulaient sur les quais, toutes les saintes nitouches qui s'abreuvaient dans les bénitiers, tous les colporteurs-radoteux-défricheteux-de-parenté qui circulaient de logis en logis et de fête en carnaval, tous ces curés qui parlaient en grandeur et chantaient en latin, tous ces bootleggeux, ces violoneux, ces menteurs, ces sorciers, ces amoureux, ces diseuses de bonne aventure et ces coureurs de galipote, tous ceux-là s'en venaient tomber entre les pages de mes livres comme des enluminures. J'étais grosse de tout un pan d'humanité, presque d'un peuple.

Et un jour, je rêvai Pélagie.

J'appris que certains de mes ancêtres figuraient avec la moitié de leur peuple dans la charrette des déportés. Il y a deux siècles et demi, les Maillet, les Cormier, les Allain, avec huit mille autres Acadiens partirent pour l'exil. Ils auraient pu y rester, périr en route, ou végéter là bas, le long des côtes américaines, durant une ou deux générations, avant de s'éteindre ou de voir les Cormier se transformer en Juneberries, et les Maillet en Hammers. Et moi là-dedans, où serais-je ? Une romancière géorgienne écrivant la chronique de la libération des esclaves ou une pêcheuse d'écrevisses dans les bayous de la Louisiane ? Mais pour ça, encore aurait-il fallu que les Hammers courtisent les Juneberries, que les Allens... Ce n'est pas possible. Tant de hasards ne peuvent se produire deux fois. Si ma vie tient à la rencontre hasardeuse de tant d'étoiles, les mêmes étoiles ne peuvent se rencontrer dans le même axe le même jour à l'autre bout du continent. Non, pour exister, il me fallait Pélagie.

Et je l'inventai.

J'inventai Pélagie pour qu'elle me ramène au pays, qu'elle me rende l'Acadie, qu'elle me fasse sortir de mon père et de ma mère. Sans Pélagie, je n'existais pas.

Mais sans moi, elle n'existait pas non plus. Car si de multiples veuves du Grand Dérangement sont revenues à pied, par la mer, ou en charrette dans la vallée de Port-Royal ou de Tintamarre, Pélagie, la mère de Jean, Madeleine et Charlécoco, l'amoureuse du capitaine Beausoleil, le chef du cortège des charrettes qui remontaient l'Amérique sans réveiller l'ours qui dort, et qui rentraient en Acadie sur la pointe des pieds et par la porte arrière, cette Pélagie-là, je l'ai arrachée à mon imaginaire, je l'ai créée de toutes pièces. Pas tout à fait créée, non. Découverte. Dénichée au fond de mes reins — que d'autres appellent l'inconscient, mais tant pis ! — au creux de mes gènes qui gardent vivante la mémoire des aïeux. J'ai donné la vie à cette Pélagie-possible pour la remercier de m'avoir permis de venir au monde deux siècles plus tard.

Mais enfin, j'y tiens donc tellement à cette vie, que je cherche à la multiplier à l'infini ? Qu'est-ce qu'elle a pour me séduire à ce point ? Je n'ai pas froid aux pieds, comme tout le monde, à -25 centigrade, et mal aux bronches quand je tousse ? je n'ai pas perdu ma mère à quatorze ans ? je ne vois pas chaque année les ormes périr sous la tordeuse, et les poissons des lacs sous les pluies acides ? je n'assiste pas impuissante au massacre des enfants du Liban et à la mort lente et scandaleuse de ceux d'Éthiopie ? je ne crains pas pour ma langue, ma culture, mon pays, pour la civilisation ? je ne sens pas la planète menacée ? Qu'est-ce qu'il me faut encore pour me dégoûter ?

Pour me décourager de la vie, il me faudrait perdre la foi en ce huitième jour, celui que le Créateur nous a confié pour nous consoler des sept autres, pour le peupler à notre guise de tous les possibles, pour ajouter à la création inachevée du monde. Si les tremblements de terre servent à redessiner les continents, les inondations à irriguer le sol, les éruptions de volcans à faire surgir les montagnes, pourquoi nos peurs, nos angoisses, nos souffrances, nos révoltes, nos tremblements d'âme et nos éruptions de l'esprit ne serviraient-ils pas à prolonger l'accouchement du monde ? Parce que l'univers est encore en gestation, j'ai la possibilité d'ajouter à la palette du lever du soleil sur la mer, de nuancer les harmonies des vents d'automne, de rendre plus fraîche l'eau vive de la source.

J'aimerais retrouver mon lointain cousin Thaddée ; retourner m'asseoir dans le bran de scie de son hangar à bateaux ; le regarder faire surgir de ses restes de planches toute une flotte de goélettes et de galions espagnols ; l'écouter me raconter ma propre histoire à partir d'Adam et Ève qui engendrèrent Noé à califourchon sur son arche, puis Jonas dans sa baleine, plus tard Charlemagne, plus loin mon aïeul qui fut le père de tous les autres, tous les autres, même les possibles que je devrai mettre au monde moi-même, tel que m'en a enjointe Thaddée la veille de mes dix ans. Sans quoi l'univers restera à jamais bancal et manchot, incomplet, inachevé. À force de brasser, boulanger, pétrir la pâte, on finira bien par faire du pain. À force d'inventer des Don Quichotte, des Robinson Crusoé, des Peer Gynt, des Demoiselles d'Avignon, des Maria Chapdelaine, des Survenant, les créateurs finiront bien par empêcher le monde de se dépeupler avant terme et de mourir avant son heure.

À force de rêver le monde, on finira peut-être par le voir se mettre à ressembler à nos rêves.

Parole de Thaddée et de Sarah.

Antonine Maillet

le 28 décembre 1990

existence, une autre existence. Mais alors, ça n'aurait pas été ma vie du tout, je ne serais pas née de mes parents, je n'aurais pas été moi.

Thaddée!!

Mon vieux cousin a dû avoir pitié. Il a quitté sa fenêtre et ses nuages blancs, puis m'a soulevée de mon tas d'écopeaux.

— T'es chanceuse, qu'il me dit, plus chanceuse que le gagnant de la loterie. Toi, t'as tiré le gros lot des gros lots.

J'en calouettai des deux yeux. Puis j'enfonçai ma gorge dans mon cou et me rengorgeai comme une jeune dinde. Le gros lot pour moi toute seule!... Non, pas tout à fait toute seule. Je le partageais avec deux ou trois milliards d'habitants, que me fit Thaddée, plus tous les millions de milliards venus avant nous, mais ces petits milliards se perdaient comme des gouttes dans l'océan des possibles. Chaque être vivant était un grand chanceux de la loterie. Mes soeurs, mes frères, Alberte, Normand, Mimo, Pitou, le grand Cyrille, tous, même Élie qui se saoulait du matin au soir, même Thomas Picoté qui portait deux bottines du même pied, même les pouilleux, les crasseux, les dévergondées qui couraient chaque nuit la galipote: tous des gagnants de la loterie.

Le lendemain, j'avais dix ans.

Dix ans le 10 du mois, tu as droit de faire un voeu, qu'on me dit. Un voeu garanti, à l'épreuve du vol, du feu, de l'eau, des mauvais sorts.

— Compte-toi chanceuse de ne pas être née le 1er, le 2 ou le 3 du mois.

HUBERT REEVES

Né à Montréal, Hubert Reeves est astrophysicien. Il enseigne d'abord à l'Université de Montréal, puis poursuit sa carrière en France comme directeur de recherche au Centre national de recherche scientifique (CNRS).

Son goût de l'enseignement et de la communication le conduit à l'écriture. Chez lui, le désir de la vulgarisation scientifique s'allie toujours avec l'amour de la poésie, tout comme les questions de physique le renvoient aux questions du sens et du pourquoi. En témoigne le cheminement de ses derniers ouvrages : Patience dans l'azur. L'évolution cosmique (Seuil, 1981, 1988) qui s'attarde surtout à décrire la structure de l'univers ; L'heure de s'enivrer. L'univers a-t-il un sens ? (Seuil, 1986) qui cherche un sens à l'univers et à l'aventure humaine ; Malicorne. Réflexions d'un observateur de la nature (Seuil, 1990) qui montre la complémentarité de la recherche scientifique, esthétique et éthique.

Depend

Il y a à explorer le monde

PHOTO : JEAN-FRANÇOIS LEBLANC

Un de mes poèmes favoris me servira de trame. Il s'agit du *Voyage*, un texte où Baudelaire nous livre certains éléments de son aventure personnelle. Je peux m'approprier les deux premiers vers :

« Pour l'enfant amoureux de cartes et d'estampes
L'univers est égal à son vaste appétit. »
Mais non les deux suivants :
« Ah ! que le monde est grand à la clarté des lampes.
Aux yeux du souvenir que le monde est petit. »

Un jour, mon père est arrivé à la maison avec une pile de gros livres. Il s'agissait des dix tomes de l'Encyclopédie de la Jeunesse, numérotés en chiffres romains dorés sur une tranche noire. Les sections intitulées « Le livre de la nature », « Tous les pays », « Histoires, contes et récits », « Les grands voyages » ont, pendant de longues années, alimenté mes rêves.

Au travers de ces lectures, je me suis senti saisi par un objectif auquel se juxtaposait un désir : *explorer le monde.* Un tel projet, je le sentais obscurément, pouvait remplir mon existence. Comme les explorateurs des siècles passés dont les chroniques occupaient mes loisirs, il me tardait de me mettre en route. Cette urgence ne m'a jamais quitté et les gratifications dont je lui suis redevable ont toujours dépassé mes anticipations.

Les hauts lieux de mes explorations sont restés gravés dans ma mémoire comme autant de souvenirs merveilleux. « Aux yeux du souvenir », je les feuillette quelquefois avec un plaisir toujours égal. Je voudrais en présenter ici quelques-uns.

Aller aux « îles »

Mon premier territoire s'appelait tout simplement « les îles ». Il était situé près de notre maison de campagne familiale, à Bellevue, comté de Châteauguay. De la fenêtre de la cuisine, on apercevait, au loin, sur le lac Saint-Louis, une ligne continue d'arbres dont les troncs disparaissaient dans un long massif d'opaques végétations. Il s'agissait d'une bande marécageuse de très faible profondeur d'où émergeait un archipel d'îlots minuscules que les crues de printemps recouvraient périodiquement. (Depuis cette époque, la « canalisation du Saint-Laurent » a désastreusement modifié ce lieu.)

« Aller aux îles » était pour moi, la réalisation d'un rêve, la promesse d'un enchantement. On s'y rendait en chaloupe ou en canoë. Même avec un vent favorable, il fallait ramer au moins une heure. Ces efforts étaient récompensés par le spectacle qui progressivement se construisait sous mes yeux. Les « joncs » qui entouraient les îles se disposaient en vastes et denses prairies. Leurs masses compactes semblaient interdire tout accès aux terres encore lointaines que les feuillages jaunes des saules révélaient à distance.

On pouvait les atteindre en suivant un certain nombre d'instructions transmises uniquement aux amis. Comme les navigateurs des siècles passés, nous tenions à garder sercrète la route de nos îles. Ayant longé un massif de joncs jusqu'à ce que deux groupes d'arbres se trouvent en alignement, une brèche étroite se découvrait dans l'épaisseur verte. Il était facile de la rater. Ce mince canal marquait l'entrée du chenal « Cardinal ».

Un coup d'aviron et le canoë s'engageait entre deux parois végétales, si hautes que le monde extérieur semblait aboli. Plus de vagues. Plus de vent. La frêle embarcation glissait en silence sur les eaux calmes. Au rythme de l'aviron, les méandres du chenal déroulaient en succession leur population d'herbes et de fleurs. De grandes surfaces vertes se présentaient parfois, formées d'un dense tapis de feuilles de nénuphars, d'où émergeaient ici et là de grasses corolles jaunes. Alertées, les grenouilles, habitantes de ces feuillages, plongeaient promptement, dans un bruit d'eau. À l'affût sur une tige élevée, le plumage vert d'un martin-pêcheur se profilait. Progressant lentement, on arrivait à l'approcher avant qu'il ne s'envole dans un grand cri de protestation.

L'impression que faisait sur moi ce lieu était si intense que j'en oubliais de ramer. Sans bruit, sans geste, je restais longtemps attentif au monde qui m'entourait. La nature alors me pardonnait mon intrusion et retrouvait son rythme. Des papillons jaunes et des libellules bleu acier volaient au-dessus des herbes tandis qu'en de longues enjambées, les araignées d'eau glissaient sur la nappe liquide où se miraient les iris jaunes. De temps à autre, une gueule béante de poisson cueillait un insecte au passage.

Des ondulations rythmiques de la surface aquatique me signalaient la présence d'un rat musqué s'activant près de la berge. Il se glissait entre les longues tiges des massettes. Je le suivais de loin. Il me menait quelquefois vers une clairière où, parmi les herbes dégagées, se prélassaient des canards colverts. Leur coloris subtil me réjouissait l'oeil.

Les océaniques

Par maints détours et embranchements, le chenal « Cardinal » menait ainsi jusqu'au « Grand Lac ». C'est ainsi que se nommait la portion du lac Saint-Louis située au-delà des « îles ». L'approche en était signalée au rameur par le bruit des vagues sur les plages de sable. À peine perceptibles au milieu des marécages, leurs rythmes puissants s'imposaient progressivement tandis que le vent du large, amorti par l'opaque végétation, agitait le sommet des saules. Un dernier méandre du chenal et la surface agitée du « Grand Lac » se découvrait. Je ne pouvais pas m'empêcher d'évoquer le « Thalassa » des soldats de Xerxès atteignant la mer Égée.

Pour avancer contre le vent soutenu qui maintenant pénétrait jusqu'au canoë, il fallait ramer énergiquement. On abordait sur une plage de sable fin jonchée de coquilles de moules. J'aimais y voir les restes des repas des Indiens, accumulés depuis des temps immémoriaux. Étendu sur le sable, je fixais des yeux la grande voie argentée étendue sur l'eau en direction du Soleil... À l'horizon, des navires se profilaient. Je les comptais. Je suivais leurs déplacements. J'attendais qu'ils se croisent. Je me réjouissais quand un nouveau bateau apparaissait à l'horizon. Je m'imaginais au bord de la mer.

On disait : dans le « Grand Lac » passent des « océaniques ». Ce mot me ravissait. Les uns allaient vers l'océan, les autres en revenaient. Je n'avais jamais vu la mer. J'en rêvais et ces silhouettes grises portaient mes rêves. Je savais qu'un jour, moi aussi, j'irais à la mer.

Je l'ai découvert plusieurs années plus tard, à l'occasion d'une longue randonnée pédestre avec des amis sur la Côte Nord du Saint-Laurent. Pendant dix jours, nous avons arpenté la route des hautes crêtes entre Baie Saint-Paul et Tadoussac. Tout en bas, au-dessus des frondaisons vertes, la nappe bleu azur s'apercevait en vue plongeante. Je ne la quittais pas du regard. Quand la route s'éloignait du rivage et que l'eau disparaissait, j'attendais son retour, guettant à chaque tournant le moment de la retrouver. La ligne acérée de l'horizon marin m'interpellait avec insistance. Elle avivait mon envie d'aller voir au-delà et mon désir profond de visiter la planète. Un jour je traverserai la mer...

Fenêtres ouvertes sur l'univers

Au premier chapitre de *Patience dans l'azur,* j'invitais le lecteur à une démarche que j'affectionne particulièrement : s'étendre sur le sol et regarder le ciel nocturne avec l'oeil de l'explorateur des terres nouvelles.

Derrière notre maison de campagne de Bellevue, un double jardin s'étendait jusqu'au lac. Les jours de grands vents, les embruns des vagues l'inondaient complètement. La nuit, ce lieu devenait une plate-forme ouverte vers le ciel. Après la chute du Soleil derrière les îles, la teinte bleue du ciel virait lentement au noir et laissait apparaître les premières étoiles scintillantes. Peu à peu, les constellations se constituaient dans leur dessin familier que la présence des planètes parfois rendait méconnaissable. La *Cosmographie* de l'abbé Moreux — dénichée dans les valises de livres abandonnés au grenier par des oncles à la fin de leurs études — me fut d'un grand secours. Grâce à ses cartes du ciel, je réussis, non sans difficulté, à reconnaître les principales étoiles et constellations du ciel.

De ma vie, je ne crois pas avoir fait d'efforts plus rentables. Quand, à leur saison respective, je retrouve sur la sphère étoilée Véga, la rouge Antarès ou le trapèze du Lion, je revis l'exaltation éprouvée la première fois que je les ai identifiées.

Les constellations sont fiables ; quand leur dessin est connu, on ne les perd plus. Les planètes présentent une situation différente. Jusqu'à une époque toute récente, leurs pérégrinations dans la bande céleste du Zodiaque étaient l'objet d'un savoir d'initiés. On faisait grand cas de la présence de Jupiter ou de Saturne dans telle ou telle constellation. Peu à peu, j'ai appris à suivre les planètes sur les routes du ciel. Constater que Jupiter avait quitté le Bélier pour entrer dans le Taureau me grisait. Je me sentais renouer avec une tradition millénaire pratiquement disparue chez nos contemporains.

Des jumelles familiales, un télescope construit avec un tuyau de cheminée m'ont permis de poursuivre mon exploration. J'y ai découvert les anneaux de Saturne et les satellites de Jupiter. J'ai observé la pépinière d'étoiles dans la constellation d'Orion. Je me suis attardé longuement sur la galaxie d'Andromède dont la lumière voyage pendant deux millions d'années avant de nous atteindre. Je me répétais que l'image présente dans mon télescope avait quitté cet astre bien avant la découverte du feu par nos lointains ancêtres... Non, Baudelaire, le monde n'est pas petit !

L'inverse du carré des distances

De l'astronomie, comme des autres sciences naturelles, je lisais tout ce qui me tombait sous la main. L'Encyclopédie de la Jeunesse me fut d'un précieux secours. Au collège des Jésuites, où j'étais élève, l'astronomie était au programme de la dernière année. L'enseignement en était donné par un professeur de mathématiques : le père Beauséjour, un homme digne, aux cheveux blancs, qui vivait dans un monde de chiffres. À son cours, le ciel était constellé d'équations. On y apprenait les lois de Newton, l'inverse du carré des distances, les « aires égales balayées dans des temps égaux ». L'aptitude des mathématiques à prévoir avec une telle précision le mouvement de mes planètes familières me fascinait.

Il nous parlait de Galilée, de Newton et surtout du divin Einstein qui avait résolu le problème de la planche Mercure, laissé sans réponse par Newton trois siècles auparavant. Il nous disait que la matière courbe l'espace et qu'au moment d'une éclipse on pouvait apercevoir des étoiles situées *derrière* le Soleil. Einstein l'avait prévu. En 1919, il s'était même payé le luxe de rester impassible quand on lui apprit que les ondes lumineuses, frôlant le Soleil, avaient obéi sans faille aux injonctions de ses équations !

Pour cet homme austère, possédé de rigueur, qui m'avait introduit dans le monde euphorisant des mathématiques célestes, ma gratitude était grande. Pourtant une phrase de lui, la première de son cours, m'était restée sur le coeur. « La plupart des gens — avait-il énoncé gravement — se contentent de s'émerveiller devant la voûte étoilée. Ils ignorent ce qui donne à ce spectacle son véritable intérêt, même si on a écrit sur les astres de *merveilleux poèmes* ». Par ces deux derniers mots, il me semblait manifester à l'égard de la poésie, une condescendance hautaine que le mouvement involontaire des lèvres n'avait fait qu'accentuer. Cette affirmation m'avait plongé dans un embarras à la mesure de l'admiration que m'inspirait ce puits de science. C'est que le monde littéraire m'était tout aussi cher que celui des mathématiques...

Du carbone né au coeur des étoiles

Les vacances d'été n'étaient pas tout à fait terminées quand je suis arrivé, pour la première fois, à l'université Cornell pour faire un doctorat en physique. Les bâtiments étaient déserts. Cherchant vainement quelqu'un pour me renseigner, mes yeux tombèrent sur le tableau des enseignants. J'y reconnus des noms prestigieux dont les travaux m'étaient depuis longtemps familiers et pour lesquels j'avais la plus grande admiration. Ainsi j'étais admis dans leur Olympe. J'allais les voir en personne et assister à leurs cours. Cette perspective me plongeait dans un grand bonheur.

J'ai vécu là des moments délicieux. Dans une salle de cours, un professeur me parle d'un sujet que j'ai envie de connaître, m'apprend quelque chose de nouveau, me donne la clef d'un problème qui me résiste depuis longtemps. Aucune grippe ne pouvait me retenir à la maison, empêcher de me traîner en classe pour un enseignement qui m'intéressait.

L'ambiance de recherche était exaltante. Des progrès récents, en physique et en astronomie, nous ouvraient le monde mystérieux des intérieurs stellaires. La théorie nous apprenait que d'intenses flux de neutrinos devaient émerger du coeur solaire. Ces flux furent effectivement détectés quelques années plus tard. Ivresse de lire dans le grand livre de la nature des phénomènes d'une portée extravagante...

À cette époque naissait une science nouvelle : la nucléosynthèse. Grâce à la construction d'accélérateurs toujours plus puissants, grâce aux progrès de la science nucléaire, on pouvait aborder la question de l'origine des éléments chimiques. D'où viennent les atomes de carbone, d'oxygène, de fer, d'uranium, etc. que nous trouvons aujourd'hui sur la Terre et dans les étoiles ? Où se sont-ils formés ? Par quels phénomènes se sont-ils multipliés jusqu'à atteindre leurs abondances présentes ? Ma thèse portait sur la fabrication de certains atomes, comme le carbone et l'oxygène, dans le coeur incandescent des étoiles géantes rouges. À partir de mesures effectuées en laboratoire, il s'agissait de calculer les taux de production de ces différents atomes tout au long de la vie de l'étoile.

Les ordinateurs à cette époque travaillaient lentement. Ils me laissaient tout le loisir de réfléchir à la portée de nos recherches. Une analogie s'imposait entre la nucléosynthèse et l'évolution biologique. Au siècle dernier, Darwin avait montré la continuité de la vie terrestre, de l'amibe jusqu'aux animaux supérieurs. Nos recherches nous racontaient l'évolution des atomes, de l'hydrogène initial jusqu'à l'uranium.

Les organismes vivants, bactéries ou êtres humains sont constitués d'atomes. Ainsi les événements stellaires, générateurs de ces atomes, prennent tout naturellement leur place dans la *préhistoire de la vie.* L'astronomie rejoint la biologie. Le ciel et les étoiles ont joué un rôle dans l'avènement de notre existence humaine. Antarès la rouge, que je retrouvais à chaque été, au sud, dans la constellation du Scorpion, fabrique des atomes de carbone et d'oxygène comme ceux dont mon corps est composé. Ces réflexions me comblaient d'enthousiasme...

Ma voiture dans le ciel bleu du Havre

Plus tard, devenu assistant-professeur à l'Université de Montréal, j'ai enseigné ces bonnes nouvelles aux étudiants de physique. Pour préparer un cours, il faut s'imposer d'en approfondir la matière. Sinon, gare aux questions des étudiants alertes... La première année, on se fraie un chemin au travers du programme. La seconde, on y est presque à l'aise. Quand, la troisième année, on domine le sujet, la routine s'installe. Il est temps d'enseigner un autre sujet. Ainsi j'ai pu faire un tour assez complet des matières présentées au département de physique.

À cette époque, avec ma petite famille nous habitions Duvernay, une nouvelle banlieue de Montréal. D'autres assistants-professeurs y avaient également leur domicile. Pour réduire nos dépenses, nous voyagions ensemble le matin et le soir. Le trajet nous faisait passer dans Outremont, un quartier chic où vivaient un bon nombre d'enseignants plus âgés, les professeurs titulaires de notre université.

Un matin d'hiver, en route pour mon cours, j'ai eu la désagréable impression de voir mon avenir étalé devant moi. Promu plus tard au titre de professeur titulaire, je déménagerai à Outremont et je m'y installerai jusqu'à la retraite. Ce périmètre infime de notre vaste planète me tenait prisonnier. De ce jour, je me suis senti à l'affût. Mon but: partir pour l'Europe. Je voulais y vivre, m'y adapter, en explorer de l'intérieur les immenses richesses.

Quelques mois plus tard, j'avais loué ma maison et ses meubles. Au Havre, déchargée par une grue du bateau «océanique» qui l'avait transportée d'Amérique, ma voiture se balançait entre ciel et terre. Le lendemain, je me retrouvais avec ma famille, quelque part entre Dieppe et Étretat. Dans les malles arrimées sur la galerie de la voiture, il y avait toutes nos possessions. Nous roulions vers la Belgique où j'avais accepté un poste d'enseignement à l'Université libre de Bruxelles. C'était le début de l'automne. Les blés dorés ondulaient sous le vent tiède. Au loin, la mer bleue blanchissait sous les embruns. Le temps était magnifique. Soulagé comme un prisonnier libéré, je me sentais léger.

Il y a à comprendre

Je ne me souviens pas comment, en 1964, j'ai appris la détection du «rayonnement fossile» par les astronomes américains Penzias et Wilson. Sans doute des «bruits de couloirs» pendant quelque conférence internationale, à New York ou à Moscou. L'importance capitale de cette découverte ne m'est apparue que très progressivement. Plusieurs années plus tard, enseignant ce sujet aux astronomes de l'observatoire

Arcetri à Florence, j'ai pris conscience de sa véritable signification. En un instant tout s'est mis en place.

Le rayonnement fossile nous présente une image de l'état de l'univers dans son plus lointain passé. Nous y découvrons un cosmos profondément différent de celui d'aujourd'hui. L'univers à cette époque est extrêmement chaud, extrêmement dense, extrêmement lumineux et surtout *totalement désorganisé.* Il n'héberge aucune des structures matérielles qui en font maintenant la richesse et la diversité. Pas de galaxies, pas d'étoiles, pas de planètes, pas d'êtres vivants, pas de molécules, pas même d'atomes ! Tout juste une immense purée indifférenciée, constituée de particules élémentaires : électrons photons, quarks, etc. C'est le *chaos* au sens primitif du terme.

De là transparaît la profonde unité de l'histoire du cosmos. La formation des étoiles et des galaxies, la nucléosynthèse des éléments chimiques à l'intérieur de ces astres, l'évolution biologique à la surface de notre planète, deviennent autant de chapitres d'une seule et même odyssée : celle de la matière qui s'organise. Toutes les sciences que les humains ont développées depuis plusieurs siècles — physique, chimie, biochimie, biologie, mais aussi astronomie, géologie, paléontologie, anthropologie — loin de s'ignorer par excès de spécialisations, se juxtaposent dans une vaste fresque. Chacune raconte, dans sa sphère propre, les étapes de cette métamorphose du chaos initial en un cosmos merveilleusement agencé.

C'était à mes yeux une extraordinaire nouvelle. J'ai eu envie de la raconter. La réponse des auditoires de conférences était enthousiaste. Les questions fusaient et nous tenaient en haleine pendant des heures. Certaines demandes me laissaient muet.

Incapable d'y répondre d'une façon satisfaisante, je les ai mises au centre de mes préoccupations. Elles ont orienté mes lectures et mes réflexions. Dans le «conscient collectif» de nos contemporains, je retrouvais l'écho de mes propres interrogations.

Je sentais qu'il y *avait à comprendre.* Et d'abord, comme dans un roman policier, il fallait juxtaposer tous les faits pertinents. J'ai senti le besoin de raconter l'histoire de l'univers sous l'angle de notre relation personnelle au cosmos : la formation des atomes de notre corps dans les creusets stellaires, l'apparition des cellules dont nous sommes constitués dans l'eau tiède des océans primitifs de notre planète. De là est né *Patience dans l'azur.*

L'abondant courrier reçu après la publication du livre m'a confirmé le formidable intérêt que ce thème éveillait. Plusieurs lecteurs m'ont reproché d'avoir laissé de côté une autre facette de la réalité, beaucoup moins reluisante, celle de la dimension d'horreur à laquelle nous sommes régulièrement confrontés. Ce thème de réflexion se retrouve pratiquement dans toutes les littératures, chez tous les penseurs et philosophes de la planète. Je m'y suis plongé à mon tour, en y ajoutant les apports de la connaissance scientifique contemporaine. J'ai présenté le résultat de mes réflexions dans *L'heure de s'enivrer.*

Nouveau courrier, nouvelles interrogations. Plusieurs lettres abordaient un thème qui m'interpellait depuis longtemps : la situation conflictuelle entre les scientifiques et les littéraires. Les mots de mon professeur d'astronomie m'étaient restés sur le coeur. Pourquoi cette animosité mutuelle ? Sur quelles bases reposaient ces prétentions, venant d'une certaine tradition scientifique, de mépriser les autres formes d'activités psychiques ? Ses tendances hégémoniques étaient-elles légitimes ?

L'écriture de *Malicorne* est largement centrée sur le thème de la réconciliation. J'ai essayé de montrer que la démarche scientifique ne touche qu'un aspect du réel, celui qui correspond à ses techniques d'études. Pour percevoir le monde sous toutes ses facettes, les approches poétiques et religieuses sont tout aussi importantes. Chacune à sa façon nous permet d'accéder à la richesse et à la beauté de l'univers.

Bientôt vient la nuit

J'ai beaucoup d'estime et d'admiration pour Charles Baudelaire. Ses états d'âmes me touchent profondément. Je regrette qu'il ne soit mort avant d'apprendre tout ce que nous connaissons aujourd'hui.

« *Ah que le monde est grand à la clarté des lampes*
Aux yeux du souvenir que le monde est petit !
Ô mort, vieux capitaine, il est temps ! levons l'ancre !
Ce pays nous ennuie ô mort ! Appareillons ! »

Ces verdicts désabusés — juxtaposés au souvenir de son enthousiasme juvénile — l'univers de l'enfant amoureux de cartes et d'estampes est égal à son vaste appétit — montrent que Baudelaire a raté quelque chose. Ses goûts l'amenaient plus spontanément vers le monde des villes que vers la campagne, vers les fumeries d'opium que vers les grands spectacles de la nature sauvage. Loin d'être des lieux merveilleux, les étangs, pour lui, dégageaient des « miasmes morbides » au-dessus desquels son âme rêvait de s'envoler.

Nous avons la chance de vivre en un temps où l'exploration du monde ne se confine pas à visiter la planète et ses villes enfumées. Nous avons découvert que l'univers est gigantesque et que, parmi ses galaxies, ses étoiles et ses planètes, il nous a donné naissance. Nous savons que notre aventure personnelle rejoint et recoupe l'aventure cosmique. Il n'y a vraiment pas de quoi s'ennuyer...

« Bientôt vient la nuit dans laquelle on ne peut plus rien voir ». Mon grand-père avait écrit ces mots — extraits d'un psaume de David, je crois — quelque part dans un cahier. À sa mort, ses enfants les ont fait imprimer sur une image pieuse, au dos de sa photo en couleur sépia. J'en ai pris connaissance au salon funéraire, devant le cercueil où mon grand-père était exposé. Face à ses lèvres blêmes, à jamais fermées, ce message m'a laissé transi.

Pendant le jour, la position du Soleil dans le ciel nous importe moins que sa lumière et sa chaleur. Le soir, il descend sur l'horizon et, dans l'embrasement de couleurs qu'il allume à l'occident, son lieu précis nous devient présent. Le coucher de soleil s'embellit de savoir qu'il est éphémère. La tombée de la nuit nous remet en mémoire la fin inéluctable des jours de notre existence.

Tout le jour, la luminescence bleue de l'air limite notre visibilité. C'est elle qui nous empêche de voir les étoiles et les galaxies. La nuit, en fait, *nous ouvre* le ciel. La portée de notre regard s'étend à des milliers, voire des millions d'années-lumières. Le vaste univers entre dans notre champ de vision. La nuit, contrairement à l'affirmation de David, on peut voir très loin...

« Ô mort, vieux capitaine il est temps ! levons l'ancre !
Nous voulons,... plonger au fond du gouffre,
Enfer, ou Ciel qu'importe ?
Au fond de l'inconnu pour trouver du *nouveau !* »

On peut chercher du *nouveau* parce que, comme Baudelaire, ce monde nous a déçus. On peut aussi désirer explorer l'au-delà précisément parce que, à l'inverse de Baudelaire, il nous a émerveillés... Avec l'espoir, peut-être illusoire, d'en comprendre enfin le sens.

La passion de la recherche

Vocations de savants, un livre de Pierre Termier, a beaucoup compté à l'époque de mon adolescence. L'auteur y décrit la vie et la carrière de plusieurs chercheurs connus. Il s'attache à déceler les sources lointaines de leur enthousiasme, à identifier leurs rêves d'enfance, à nous faire sentir le feu sacré qui les a tenus en haleine tout au long de leur vie. Ces récits trouvaient en moi des résonances familières. J'y reconnaissais des états d'âme dont j'avais l'expérience. Les possibilités d'avenir que ces réflexions m'offraient me furent précieuses. Elles me permettaient d'organiser le futur et me donnaient la motivation pour le faire.

En acceptant l'invitation à me joindre aux auteurs de ce livre, en cherchant à identifier mes « raisons de vivre » et à parler des moteurs de mes enthousiasmes, je ne prétends nullement me mettre sur le même pied que les héros de mon adolescence. Je souhaite seulement que mes mots puissent aider ceux qui, comme moi à l'époque où j'ai lu Termier, tentent de planifier leur vie.

Selon Sigmund Freud, toute personne qui veut écrire sa biographie se condamne à *mentir*, à *dissimuler* et à *essayer de se faire voir sous son meilleur jour.* Conscient de ce risque, je suis disposé à le prendre si le résultat peut être profitable à quelque lecteur ou lectrice.

Hubert Reeves

GUY CORNEAU

Né à Chicoutimi et vivant à Montréal, Guy Corneau est un analyste rattaché au mouvement jungien. Après avoir oeuvré au théâtre à titre d'auteur, de metteur en scène et d'interprète, Guy Corneau se consacre maintenant à la pratique de la psychanalyse. Ses dons de communicateur l'amènent à intervenir autant comme conférencier que comme invité à la radio et à la télévision. Sa carrière prend peu à peu une stature internationale.

En 1989, Guy Corneau publie Père manquant, fils manqué *(Montréal, L'Homme) qui pose la question de la masculinité dans notre société. Dans une entrevue à François Forest (*La Presse, *6 mai 1989), il déclare : « quand (la souffrance) n'est plus assumée par les pères, nous assistons au désolant spectacle d'une génération de jeunes qui se réfugie dans le suicide ». C'est en frôlant la mort qu'on apprend à découvrir la vie et à l'apprécier.*

Comme le nuage va, comme l'oiseau chante

PHOTO : PIERRE LONGTIN

Comme le nuage va, comme l'oiseau chante...[1]

Pour tous ceux qui souffrent
d'être en vie.

Il était une fois au Moyen-Orient un cavalier qui, allant de village en village en pleine nuit, à bride abattue, réveillait les habitants de chaque bourg pour leur demander d'un ton anxieux : « Avez-vous vu mon cheval ? » Personne n'osait lui répondre qu'il était assis dessus, tellement cela semblait évident. Il était en fait le seul à ne pas s'en apercevoir. Cette anecdote, tirée du répertoire de la sagesse soufie, exprime la course de l'homme lancé à fond de train dans sa quête de lui-même et du sens de la vie. Je crois que j'ai été à l'image de ce cavalier pendant une grande partie de ma vie — et que je le suis encore la plupart du temps — mais, par la grâce de certains événements qui m'ont forcé à stopper ma course, j'ai pu sortir de ma torpeur et trouver réponse à certaines des questions qui me tourmentaient depuis mon enfance.

1. *Je tiens à remercier chaleureusement mes lectrices de la première heure, Line Sauvageau et Nathalie Coupal, pour leur patiente révision du manuscrit et leurs heureuses suggestions.*

Autrement dit, j'ai eu la bonne fortune d'entrevoir mon cheval à quelques reprises.

Les événements que je vais raconter concernent un aller-retour aux frontières de la mort à travers la maladie et, bien qu'il s'agisse d'une épreuve physique et morale dont la souffrance est l'ingrédient fondamental, l'affliction s'est avérée un bienfait qui a transformé ma vie. J'espère que ce témoignage très personnel saura vous encourager à prendre la vie à bras le corps, comme étant la chance de participer à une aventure prodigieuse.

La descente aux Enfers

Je souffre depuis nombre d'années d'une colite ulcéreuse que je contrôle assez bien sans médicaments, par une diète appropriée, par la relaxation et des exercices réguliers. Au moment de la crise, je vivais sans rechute depuis trois ans. Mon livre *Père manquant, fils manqué*[2] venait tout juste d'être publié et connaissait un grand succès, succès accompagné du cortège de conférences, d'entrevues, de tournées de promotion et de séances de signatures. Je me réjouissais à l'idée des vacances toutes proches. C'était négliger l'usure de ma monture !

L'année précédant la publication de mon livre m'avait épuisé. La réécriture du texte, à travers ma pratique quotidienne de psychanalyste, mon enseignement et mes ateliers de fin de semaine, m'avait obligé à prendre la plume, le soir, et parfois jusque

2. *Guy Corneau, Père manquant, fils manqué. Que sont les hommes devenus ? Éditions de l'Homme, Montréal, 1982, 186 p.*

dans la nuit. Je voulais respecter l'échéance fixée par l'éditeur pour que mon livre puisse sortir au printemps. Et au printemps il sortit !

Mais voilà qu'après ces mois de tension, mon intestin commence à faire des siennes. Peu importe les moyens auxquels j'ai recours pour enrayer l'accès qui s'annonce, rien n'y fait. Les pertes de sang deviennent de plus en plus abondantes et la fréquence des diarrhées augmente chaque jour. Du mois de juillet à la mi-août, je connaîtrai une véritable descente aux Enfers. Au plus mal, je subis de vingt à trente hémorragies quotidiennes, je ne retiens plus aucun aliment, je ne peux plus dormir la nuit et je maigris à vue d'oeil. Mon nouveau médecin veut m'hospitaliser mais, moi qui ne jure que par les médecines douces, je refuse cette éventualité. Je préfère jouer ma dernière carte : le jeûne. En effet le jeûne, que j'avais expérimenté à quelques reprises déjà, me semble être la technique idéale pour assurer un peu de repos à cet intestin en révolte. Je décide donc de faire faux bond à mon médecin qui me laisse aller en exprimant ses doutes par rapport à ma décision.

Je connaissais de réputation une clinique de jeûne dans la région où habitent mes parents. Je demandai une entrevue au directeur de l'institution. Au moment de me présenter à lui, mon état d'esprit était très mauvais, j'étais à bout de forces, j'avais perdu sept kilos en quarante-cinq jours et j'avais peur d'être trop faible pour faire suite à ma résolution d'entreprendre un jeûne. Quand je lui expliquai mon cas et lui mentionnai mes inquiétudes, il eut pour seule réponse : « Tes valises sont prêtes ? Viens, nous allons te guérir ! » Je me pris à sourire intérieurement devant l'assurance sans failles de cet homme qui avait placardé ses murs d'une impressionnante panoplie de certificats et de diplômes. Je m'imaginais répondre de la sorte à un de mes patients après seulement quelques minutes d'entrevue. C'était de la pure présomption ! Je me méfiais mais j'étais désespéré, je ne savais plus où trouver refuge. Je me présentai à la clinique le lendemain matin. Mes valises étaient prêtes en effet, mais j'étais loin de me douter pour quel voyage !

Zoom dans un nuage

Contrairement à mes attentes, le jeûne ne changea rien à ma condition. Les diarrhées diminuèrent bien jusqu'à une dizaine de fois par jour, mais en pratique elles auraient dû cesser tout à fait puisque je n'avalais plus aucune nourriture. Cela semblait inexplicable. Des examens ultérieurs allaient révéler que le problème de colite s'était doublé d'un problème de sang. Mon sang ne coagulait plus, mes plaquettes sanguines avaient chuté à 8 000, j'étais à toutes fins utiles comme un hémophile ; les ulcères n'avaient ainsi aucune chance de guérir parce que le processus de cicatrisation a besoin de la coagulation du sang pour se faire. Un jeûne n'aurait rien changé à la chose et j'en serais tout bêtement mort.

Des événements intérieurs commencèrent à se manifester, le septième jour. C'était un vendredi très chaud de la mi-août. La cour de la clinique donnait directement sur une rivière où on avait aménagé un quai. J'adore nager et je ne pouvais plus résister à la tentation de l'eau. Mon état de fatigue était cependant tel que je pouvais à peine marcher ; j'avais même dû arrêter de lire parce que les mots ne formaient plus de sens dans ma tête. Un simple quiz télévisé venait à bout de ma concentration. Bref, mes facultés mentales s'éteignaient. Je me baignai donc, mais à peine, car l'eau trop froide mordit mon corps et me prit en quelques secondes le peu de chaleur qui l'habitait. Je ressortis de la rivière, épuisé par seulement quelques mouvements de brasse, et mis un temps très long à me sécher parce que j'étais ankylosé. Je montai sur le quai, tout près, et m'étendis sur une chaise, exténué. Le ciel était d'un bleu magnifique et un nuage majestueux s'y profilait.

Je regardais le nuage avec étonnement en ruminant le genre de pensées obsessives auxquelles j'ai l'habitude de me livrer : « Ce nuage, d'où vient-il ? Où va-t-il ? Pourquoi existe-t-il ? » J'ai toujours été attiré par les questions sans réponse. C'est alors que se produisit un phénomène étrange. Je me retrouvai tout d'un coup en collision avec le nuage, comme si un zoom m'en avait rapproché instantanément, je fus pour un court moment projeté « dans » le nuage. Je me mis à pleurer parce que je venais d'expérimenter le nuage. Il était simplement posé là, dans l'existence, avec sa beauté et sa majesté. Mes questions m'apparurent stupides. Elles m'empêchaient même de saisir directement la nature du nuage, d'être avec lui, de reconnaître en fait sa similarité de nature avec moi.

Je regagnai ma chambre comme « ouvert ». Cette impression d'unité profonde avec la nature qui m'entourait ne fit que s'accentuer au cours des jours qui suivirent. Plus j'étais faible et plus je devenais vulnérable, plus je communiais entièrement aux vents, aux pluies, aux coups de tonnerre. Je devenais la pluie, le vent, le tonnerre, sans pour autant perdre mon identité.

Le lendemain matin, je voulus me rendre à une conférence offerte au pavillon central de la clinique. Mais à peine avais-je fait quelques pas au dehors que je m'écroulai de faiblesse. Encore une fois mon état me plongea dans un désarroi extrême. Il se produisit alors un second phénomène.

J'avais les yeux ouverts et, bien que conscient, je tombai dans un rêve dont la scène avait pour décor la réalité où je me trouvais. Mes images intérieures se superposaient à ma réalité diurne. Réalité et fantasme acquéraient ainsi un statut équivalent et se fondaient en une nouvelle réalité. Je voyais deux valises couchées le long du trottoir qui bordait la clinique, elles brillaient d'une lumière dorée ; mon nom était inscrit en grosses lettres sur l'une d'elles. Elles avaient été déposées là, sans précaution, comme des sacs à ordures attendant le passage du camion sanitaire. Je compris que ces valises représentaient ma vie et qu'elles contenaient à elles seules tous mes effets personnels. La vie de Guy Corneau prenait fin et bientôt les éboueurs allaient tout emporter.

Je me relevai doucement pour aller m'asseoir sur une balançoire. Je me sentais léger et libre comme l'air. J'étais délivré du poids de la vie, délivré de Guy Corneau. Un bonheur indicible montait en moi et je me fis la réflexion suivante : « Je suis mort mais je suis heureux ! » J'étais dans l'éternité, le temps n'existait plus. Cet instant de liberté était si bon qu'il donnait à lui seul un sens à toute ma vie. Tout avait valu la peine ! Les crises, les souffrances, les déceptions, les arrachements, tout ! Tout pour connaître ces quelques instants de béatitude.

Toute ma vie, j'avais été un fruit au bout d'une branche que l'on secoue et, soudain, j'étais relié au tronc par la sève qui circule et qui nourrit l'arbre entier. Le fruit que j'étais avait retrouvé son lien à l'arbre. J'étais en contact avec la racine. Je comprenais qu'il n'y avait pas de mort, il n'y avait que des changements d'état. Mourir signifiait retourner à la source et se reconnaître identique à tout ce qui vit. Je ne savais pas si Guy Corneau était immortel, mais je saisissais à travers cette expérience qu'il faisait partie de quelque chose d'immortel qui poursuivait sa route par lui et à travers lui. Tout à coup je n'étais plus le centre de l'univers, je participais à l'histoire éternelle de la nature et de la vie, je faisais partie du grand tout. J'étais pénétré par la réalité qu'il n'y avait pas d'esprit sans matière ni de matière sans esprit. Le voile était levé. Tout était Un. Moi qui jusqu'à ce jour avais toujours eu peur des vers et des insectes souterrains, je me voyais joyeusement mangé et transformé par eux, devenant ce qui n'est qu'un autre aspect de l'aventure de «cela qui est», comme disent les bouddhistes.

Je comprenais également que ce que nous étions ou n'étions pas n'avait aucune importance. Saint ou dévoyé, criminel ou moraliste, chacun contribuait à sa façon à cette terrifiante et merveilleuse aventure. Nous étions tissés d'extase. Notre nature la plus intime était faite de l'extase infinie de participer à une création sans limites. Notre nature la plus pure était semblable à celle du jeune enfant vibrant, enjoué, curieux et émerveillé de tout ce qu'il y a autour de lui. Même mourir était sans conséquence car ce n'était qu'une autre forme de l'extase.

Pendant ce temps ma condition ne cessait de se détériorer. J'avais l'air d'un individu souffrant de malnutrition : de grands yeux sans corps. Cet après-midi-là, mon frère éclata spontanément en sanglots en venant me visiter : j'étais devenu méconnaissable. Tout le monde semblait se rendre compte du danger de la situation, à l'exception de moi et du directeur de la clinique, convaincu, je crois, de l'infaillibilité du jeûne.

Quand mes parents me visitèrent l'après-midi du onzième jour, je les fis asseoir sur mon lit, je les pris par la main et je pleurai. Je leur demandai de me pardonner pour ma dureté à leur égard, de même que pour l'ingratitude de mon livre. La scène n'était pas sans rappeler la fin d'un mélodrame : je parlais au bout de mon souffle, sans voix, comme Marlon Brando dans le film *Le Parrain*.

Après m'avoir rassuré quant à la prétendue dureté de mon livre, mes parents s'avouèrent très surpris par ce discours qu'ils ne s'expliquaient pas et voulurent connaître le pourquoi de ma peine. Je leur racontai que, la veille, le directeur de la clinique m'avait rendu visite pour m'affirmer de but en blanc, de sa voix voilée, que mon volume était « juste bon à jeter aux poubelles » et qu'il ne contenait « pas une seule graine d'amour ». Il m'avait conseillé fortement de ne pas en faire la promotion puisqu'il voyait là la source de ma maladie. Il termina en ajoutant que son épouse, une femme chaleureuse que j'estimais beaucoup, l'avait parcouru elle aussi et avait conclu que « ça ne valait pas de la m... ! », une expression qui me surprenait fort dans sa bouche. Ce fut le coup de grâce.

Ce soir-là après la visite de mes parents, je téléphonai à Francine, ma compagne à l'époque, et lui confiai la tâche de rejoindre mes patients afin de leur communiquer mon incapacité à reprendre le travail à la date prévue. À mon grand embarras, j'avais peine à me souvenir de leurs noms en raison de mon état de dégénérescence. Cela l'inquiéta beaucoup et elle laissa notre conversation, fort alarmée.

L'abandon

La nuit du mercredi au jeudi me mit face à des événements marquants. Je me souviens très bien de m'être levé du siège des toilettes, à trois heures du matin, pour vérifier de façon routinière la quantité de sang perdu et me retrouvai atterré par son abondance. En me relevant, abasourdi par ma découverte, j'eus la sensation physique très nette d'avoir atteint mes limites, d'être à la frontière de la mort.

Je me recouchai, accablé. Cette prise de conscience m'arracha un cri sans voix et un pleur sans larme. Je n'avais plus ni voix ni larmes. Comment en étais-je arrivé là ? Je ne pouvais pas le croire. Je fermai les yeux et j'adressai une prière à Dieu, mon dernier recours. Je lui dis : « Mon Dieu, j'ai épuisé tous les moyens que je connaissais pour me guérir. Ils ont tous échoué, l'un après l'autre. J'abandonne, je cesse de combattre. Tout est maintenant entre tes mains ! » La réponse ne tarda pas à venir.

Je sombrai de nouveau dans cette réalité double où les visions se superposent au réel et en acquièrent la solidité. Je voyais mon corps étendu sur le lit, tout habillé de blanc, je me fis penser à un grand chien mort. Puis j'eus la sensation très nette d'avoir deux têtes. J'en voyais une devant moi composée de plusieurs strates superposées, chacune représentant une couche de préoccupations. Il y avait celle de mes soucis amoureux, la couche de ma carrière et de mes ambitions ainsi que celle de mes insécurités financières. Je vis cette tête s'effacer jusqu'à disparaître dans un néant de velours noir, comme si je venais d'éteindre le poste de télévision.

Puis allongé sur le côté, je sentis soudain une présence derrière mon dos, assise précisément à la hauteur de mon bassin. Pour ce que j'en devinais, il s'agissait d'un moine du Moyen Âge dans une bure. La sombre couleur ocre de sa tunique, la rondeur et l'épaisseur de la laine me faisaient du bien. Le moine m'enveloppait de sa robe et parcourait mon corps de ses mains, formant par le mouvement de celles-ci un dôme de chaleur bienfaisante qui allait du dessus de ma tête à la pointe de mes orteils. Sa présence était d'une douceur infinie et en même temps d'une fermeté apaisante. Une phrase parcourait mon être tout entier comme si on la gravait en moi, je la voyais et l'entendais en même temps: « Abandonne-toi ! Tout va bien aller ! » Je constatai alors que les mains du moine n'étaient pas à proprement parler des mains, mais plutôt de longs doigts émaciés et squelettiques qui étaient en fait des filaments électriques, tout comme ses bras à l'intérieur de la bure. Je retournai la tête plus audacieusement dans le but de voir le visage de mon bienfaiteur et je vis un masque noir zébré de traits géométriques. Je lâchai prise. C'est alors que je « tombai dans Dieu » ; c'est du moins l'expression qui me vint spontanément à l'esprit.

J'avais l'impression d'avoir poussé durant toute ma vie contre un mur et ce mur venait de céder d'un seul coup. De la petite pièce où je me trouvais, j'avais soudain basculé dans une pièce immense et tout éclairée. Ce fut un sentiment de soulagement, d'agrandissement et de surprise incroyable. Au bout de cette pièce, il y avait le sourire et le regard de Dieu. Je comprenais, mais sans pouvoir l'expliquer, que la seule chose qui me retenait à la vie était l'amour, les prières et les inquiétudes de mes proches, et je me sentais de façon mystérieuse en communication avec eux. J'étais plein de compassion et de gratitude. Je venais en fait de faire mes premiers pas sur le chemin des fulgurances intérieures qui devaient suivre. Ensuite je coulai dans un sommeil de trois heures sans avoir à me lever pour aller aux toilettes. Une véritable bénédiction ! Ces heures furent des plus réparatrices et je me levai à l'aube, réconforté. À huit heures, l'infirmière qui était d'une gentillesse exemplaire vint me chercher afin de me conduire à l'hôpital pour une prise de sang. En effet, le médecin qui venait une fois par semaine à la clinique commençait à s'inquiéter de mon état.

Au retour de l'hôpital, les événements se précipitèrent, tous plus énigmatiques les uns que les autres. C'était comme si mes intimes, l'un à l'insu de l'autre, avaient décidé de me sortir de là, avec ou sans mon accord. Je comprends maintenant que j'étais probablement le seul obstacle à l'aide dont j'avais tant besoin et qu'à partir du moment où j'ai lâché prise, tout est devenu possible. Je comprends aussi que j'avais besoin d'aller jusqu'à cette extrême limite pour éprouver le sentiment d'être aimé et de pouvoir aimer.

Au retour de l'hôpital, je trouvai la directrice sur le pas de ma porte. Elle m'expliqua brièvement que mon père était venu me chercher et qu'il reviendrait bientôt. Je ne voulus pas la croire, je lui expliquai que j'étais entré de plein gré à la clinique, que j'avais trente-huit ans et que mon père n'avait rien à voir avec tout cela. Au même instant, ce dernier arriva accompagné de ma mère. Je n'en croyais pas mes yeux. Il me dit calmement, avec une fermeté que je lui avais rarement connue : « Guy, j'ai déjà vu des hommes mourir et tu es en train de mourir. Tu dois sortir de la clinique ! » Comme je m'obstinais, il me tourna le dos et il commença à faire mes bagages. Décidément, tout continuait de tourner autour de ces innocentes valises ! Je soupçonnais avec raison que son plan consistait à m'emmener à l'hôpital de Chicoutimi, ce à quoi je m'opposais fortement. Mais au cours de mes palabres, je sentis la présence de la nuit précédente se manifester avec beaucoup de clarté et j'entendis à nouveau en moi : « Abandonne-toi ! Tout va bien aller ! » Je compris alors que « m'abandonner » signifiait que ma guérison n'emprunterait pas la voie de mes idées toutes faites.

Pour mettre fin à mes tergiversations, mon père me dit alors quelque chose qui m'alla droit au coeur. Il se tourna vers moi et m'avoua sans détour : « Tu sais, c'est vrai que je n'étais pas là quand tu étais jeune, mais aujourd'hui j'y suis et tu vas sortir de la clinique même si tu dois me le reprocher jusqu'à la fin de tes jours ! » Le ton était sans réplique. J'en pris mon parti mais lui fis promettre de ne pas me faire hospitaliser. La bonté fondamentale de mon père m'apparut ce matin-là et depuis ce jour, je suis régulièrement ému au contact de cette bonté. Rétrospectivement, celui contre lequel j'ai tant ragé m'a sauvé la vie avec la clairvoyance de son instinct d'homme des bois.

À peine arrivé à la maison, mon médecin montréalais, généralement si difficile à rejoindre, me téléphona. Il ne m'avait vu qu'une seule fois pour un examen, je lui avais fait un pied de nez et voilà qu'il était au bout du fil. Francine l'avait alerté. Je lui traçai le portrait clinique de la situation et aussitôt il m'en fit comprendre la gravité. Il me fit saisir en termes peu équivoques que ma vie était réellement en danger. Il ajouta que c'était maintenant ou jamais et que si je désirais attendre encore et suivre une autre de mes lubies, je ne pourrais plus compter sur lui.

La nature angélique

L'arrivée à l'hôpital fut pathétique. Mon amie Francine vint me chercher avec une chaise roulante à la sortie de l'avion qui me ramena à Montréal. Ce voyage m'avait malmené au plus haut point ; j'avais passé la majorité des soixante-quinze minutes que dure le vol sur le siège des toilettes ! Je ne savais pas si j'allais pouvoir tenir le coup et j'avais une grande peur de m'évanouir pour ne plus jamais me réveiller. Je regrettais amèrement d'avoir insisté pour que mon père demeure à la maison alors qu'il voulait m'accompagner. Je trouvai le voyage interminable.

Dans le corridor de l'hôpital, le médecin ne me reconnut pas car j'avais littéralement fondu pendant ces trois semaines. Il ne perdit pas une minute. Deux heures plus tard, j'étais branché par les deux bras à un soluté de vitamines, un soluté de sérum, et cent milligrammes de cortisone qu'on m'administra pendant dix jours par voie intraveineuse. Je trouvai le personnel du onzième étage de l'Hôpital Saint-Luc des plus disponibles et des plus agréables, en dépit d'une grève du personnel infirmier. Je finis même par surnommer cet endroit: le «onzième ciel». Je compris que mes craintes par rapport à l'hospitalisation n'étaient pas fondées. Enfin je me sentais en sécurité, je savais que je n'allais pas mourir.

En plus des soins qu'il coordonnait avec une grande compétence, mon médecin allait s'avérer d'une humanité touchante. Il passa presqu'une heure chaque jour avec moi pour me parler et m'écouter. Son support moral ne se démentit pas et constitua un élément indéniable de mon retour à la santé. Je lui fis totalement confiance et m'abandonnai entre ses mains. Enfin je n'avais plus à décider par moi-même, avec ma petite tête dure, de ce qui était bon pour moi.

Je passai les premiers jours de cette lente remontée au milieu de limbes intérieurs. Mon corps fouetté par les vitamines et les drogues tentait de reprendre vie. Ma chambre était fermée à toute intrusion, sauf pour quelques proches ainsi que pour Francine et sa fille Marylis dont les visites m'étaient des plus précieuses. La cortisone me plongeait dans une excitation artificielle des plus agréables dont les effets marqués se faisaient sentir de jour en jour.

C'est à l'aube du quatrième jour que je fus surpris par un événement qui allait être déterminant pour le reste de ma vie. Ce matin-là, je m'éveillai très tôt avec les premiers rayons du soleil. J'étais de nouveau dans ce lieu de double réalité ou de réalités interpénétrées. De nouveau, je voyais mon corps étendu sur mon lit d'hôpital dans la position même où j'étais en fait. Cette fois, je voyais une barre de fer noire plantée au travers de mon ventre, à l'endroit précis de ma souffrance. Elle se retira peu à peu, lentement, et quand elle fut extraite complètement de mon corps, je vis jaillir du trou laissé béant un bel adolescent d'environ dix-huit ans, aux cheveux noirs bouclés, drapé de vêtements amples et légers. Il sortit de mon ventre avec un grand rire et plein d'une immense fantaisie pour aller s'évanouir dans l'air au-dessus de moi. Je me pris à rire également mais, de retour dans la sensation de mon corps, j'entendis et je vis s'écrire en moi la phrase suivante : « Guy, tu réprimes ta nature angélique ! »

Dans le quart de seconde qui suivit, j'éprouvai dans un éclair de lumière les vingt dernières années de ma vie. Je ne les vis pas en détail mais je les saisis par la racine. Je compris qu'il y avait vingt ans que je brutalisais ma propre sensibilité, vingt ans que je ne suivais pas mon coeur, mes goûts et mes envies, vingt ans que je rationalisais tout et que j'agissais à mon égard comme le pire des tyrans. Je compris d'un trait qu'il y avait longtemps que ce n'était plus la faute de mon père, de ma mère, ou de quiconque dans mon entourage : j'étais le seul responsable de ma maladie et il m'était révélé d'un seul coup comment j'en avais été l'artisan.

Cette révélation m'était faite avec une douceur infinie qui emportait tout sur son passage, comme si quelqu'un m'avait approché avec d'infinies précautions pour me souffler à l'oreille ces simples questions : « Guy, où es-tu ? Pourquoi te fais-tu tellement mal ? Pourquoi n'es-tu pas heureux ? Pourquoi refuses-tu ton coeur ? »

Je me mis à pleurer de regret en prenant conscience du manque de respect que j'avais eu envers moi-même. Je pleurais de m'être fait si mal. Enfin j'étais touché par ce que je m'imposais. Mon coeur éclatait ou, plus exactement, ce qui éclatait c'était la carapace de plastique rigide qui l'entourait et qui empêchait quiconque d'y toucher. J'aimais par devoir, j'aimais par principe, parce qu'il faut aimer. Je pleurai au moins une heure, ému jusqu'au fond de l'âme, ayant une âme enfin, ayant un coeur. Et je devais pleurer ainsi tous les jours du mois qui suivit, touché par ce moment de retrouvailles avec moi-même et avec le coeur de la vie. Enfin j'étais réel.

Cette ouverture du coeur ne fit que s'accentuer au fil des jours et des semaines. J'étais plongé dans une béatitude sans nom. Un feu d'amour immense brûlait en moi. Je n'avais qu'à fermer les yeux pour me rassasier, m'emplir, m'abreuver à ce coeur ardent. J'avais une fontaine en moi et je savais que ce lieu était éternel, que la fontaine était inépuisable. Plus, je savais que l'amour était le tissu même de cet univers, l'identité commune de chaque être et de chaque chose. Il n'y avait que l'amour et rien d'autre. Cette ouverture du coeur modifia en profondeur mon rapport avec les gens qui m'entouraient. Je voyais la bonté et la beauté de tous les êtres qui m'approchaient. Les infirmières s'ouvraient à moi spontanément. Je me disais : « Est-ce que cela est possible ? Le monde est si différent et pourtant il n'a pas changé. Où suis-je quand je ne vois pas toute cette bonté et tout cet amour ? Où suis-je ? Est-ce que je dors ? » Je trouvais d'ailleurs d'une ironie incommensurable le fait que c'était au moment où je me trouvais complètement abattu et sans défense que les gens s'approchaient de moi sans résistances.

Je sais maintenant que l'amour est notre seul manque et que nous courons tous et toutes après le cheval sur lequel nous sommes assis. De plus, je pense que la guérison véritable d'un être humain consiste en la reconnaissance de son lien avec l'arbre entier de la vie, en la reconnaissance de l'unité indissociable de tout ce qui est.

La clé du paradis

Ah ! rester en contact avec la réalité du coeur, cela n'est pas si simple ! L'expérience que je venais de vivre à l'hôpital m'accompagna pendant plus de quatre mois. Telle une flamme qui me brûlait au coeur. Elle fit briller toutes les réalités d'une lumière intérieure aux couleurs riches et intenses. Je ne finissais pas de m'émerveiller du fait que la nourriture dans mon assiette, par exemple, possédait sa propre luminosité. Il suffisait que je m'arrête quelques secondes devant un arbre pour sentir de nouveau l'énergie circuler et me voir réintégré au grand flux cosmique. Je m'étonnais de la simplicité du procédé ; il s'agissait de faire le vide mental et d'accepter la réalité exactement comme elle était. Je n'en revenais pas, j'avais trouvé la clé du paradis !

Enrichi de cette expérience intérieure, mon retour à la santé fut étonnant, mes médecins s'en félicitaient. Je répondis on ne peut mieux aux traitements. La femme médecin qui me soignait pour le sang m'avait d'ailleurs préparé à une lutte plus longue, mais tout revint à la normale très rapidement et après deux mois de repos je pus reprendre le travail.

Je mesurai hélas ! bien vite l'énorme distance qui sépare la vie de convalescence et l'implacable réalité du travail. Pour vivre il faut se lever chaque matin, décider ce que l'on va faire de sa journée, penser à ce que l'on va manger, etc. Le retour au travail fut donc des plus pénibles. Je me sentis pendant plusieurs jours comme un chien enragé qui voulait mordre tout le monde. De nouveau je devais dire: «je», «je» décide ceci, «je» ne veux pas cela, «je» donnerai telle conférence dans six mois, «je» n'accorderai pas telle entrevue. Je me voyais retourner graduellement à mon obscurité familière et je rageais.

Une passion amoureuse acheva de me faire perdre pied. Son intensité émotive et la foule de sentiments contradictoires qu'elle provoqua me firent perdre contact avec le centre si précieux que je venais de toucher en moi. Je me rappelais cruellement les paroles d'un sage affirmant qu'une expérience spirituelle, si intense soit-elle, n'est qu'une expérience et qu'elle ne dure pas. Donc en l'espace de six mois à peine, j'avais recréé le même enfer avec un tourment en plus: je savais maintenant de façon certaine que cet état d'amour, de disponibilité et de communion avec l'univers était accessible en tout temps.

Ce dilemme était d'autant plus torturant que je savais également qu'il n'y avait rien à faire pour atteindre cet état. Il s'agissait plutôt de s'ouvrir et de s'abandonner, de se laisser modeler par la réalité plutôt que de travailler sur soi comme un forcené. Je me sentais devenir fou de nouveau. Mon tyran intérieur me soumettait à un nouveau supplice: j'avais perdu contact avec l'essence de mon expérience et je savais que mes efforts pour la retrouver étaient le plus grand obstacle que je pouvais dresser entre cet état d'abandon et moi.

L'été me replongea dans le même désespoir qui m'avait conduit aux portes de la mort, mais avec plus de virulence encore. J'avais abusé de mes forces fraîches; mon corps n'avait pas eu le temps de récupérer et par témérité, croyant avoir compris une fois pour toutes le secret de la vie, je l'avais mené toute l'année à une cadence infernale. Je découvris cet été-là que si l'année précédente m'avait fait connaître de célestes voluptés, il me restait à apprendre l'humilité.

Le prix que j'eus à payer pour ma démesure fut très lourd. Je me mis à maigrir considérablement et en quelques semaines, à cause du retour des pertes de sang, je fus brisé. Mon médecin voulut m'hospitaliser de nouveau, mais je m'y refusai obstinément. Cette fois cependant, sans l'aide de la cortisone dont je devais cesser la consommation et désespéré intérieurement, le retour à la santé fut beaucoup plus pénible et plus lent. Une diète très sévère me fut imposée pour plusieurs mois. Je passai des semaines complètes à plat, affecté d'une dépression sèche et sans émotions. Je ne voulais plus vivre, j'avais seulement le goût de mourir. Seule la conviction qu'il n'y a pas d'endroit où aller, puisque nous sommes plongés dans l'éternité, me retenait. Je passai même plusieurs semaines à fuir à tout prix la solitude, de peur de commettre l'irréparable. Je comprenais parfaitement une parole du petit catéchisme de mon enfance qui m'avait toujours semblé obscure, celle qui m'affirmait que l'enfer consistait dans le fait d'être privé de la vue de Dieu. J'étais privé de contact avec l'état de libération que j'avais connu et ma peine était sans limite.

C'est alors qu'une amie m'invita à une conférence qu'elle donnait sur le thème de la méditation et de la prière. Ses toutes premières paroles éveillèrent aussitôt ma voix intérieure. Je réalisai que ma façon de concevoir le travail sur soi était erronée et que les conditions qui permettent de rester « éveillé » devaient être cultivées. Aussi paradoxal que cela puisse paraître, il devait y avoir un effort vers l'abandon de soi et le non-effort. Pour arriver à s'abandonner, il faut s'arrêter et laisser le temps aux eaux intérieures de se calmer ; on peut alors voir le fond apparaître lentement et s'y ancrer solidement.

J'ai donc repris la méditation. Chaque jour j'essaie, ne serait-ce que cinq minutes, de briser la trépidation journalière et de retourner à ce point d'ancrage où je reprends contact avec cette joie indicible de vivre, cette douce extase. Je peux dès lors me replonger dans l'action sans perdre mon cheval de vue, pour un certain temps du moins. La discipline me demande toujours un effort mais je n'ai plus connu de dépression depuis. De plus, je me suis rendu compte que le corps était mon principal obstacle sur la voie de la réalisation. Je me suis donc engagé à l'ouvrir peu à peu par des pratiques régulières de Tai ji quan et des exercices prolongés de relaxation et d'assouplissement.

Post mortem

Je suis forcé de constater que l'intégration d'une telle expérience n'est pas chose facile et constitue en soi le travail de toute une vie. Si je tente de mesurer la distance qui me sépare aujourd'hui de l'intensité de mon expérience d'alors, je dirais que le niveau de conscience dont je parle a beaucoup à voir avec le silence mental. Quand on dit « je » par exemple, c'est le mental, c'est la tête qui s'exprime, mais dans l'état où je me trouvais, il n'y avait plus de tête, le silence régnait en moi, je ne me faisais plus de réflexions à partir de croyances ou d'idées préconçues, mon dialogue intérieur s'était tu. Je pense que c'est ce dialogue constant qui m'empêche d'avoir un contact direct avec ce qui m'entoure. Au moment de cette expérience, j'étais posé dans l'existence et cela suffisait. Je disais « je » à partir du ventre ou à partir du coeur. Dans les mois qui suivirent, mon activité mentale a repris mais elle ne prenait plus toute la place. Aujourd'hui, la méditation m'est devenue nécessaire parce qu'elle est un moyen de cultiver ce silence intérieur. Elle me permet de toucher chaque jour à l'éternité de l'existence, de sentir que mon identité réelle, que l'essence de mon être appartient à cet état d'immuabilité et de permanence.

Au fort des révélations, il m'est également apparu comme une évidence que cet univers était un grand jeu dont la clé est l'extase. Bref, nous étions sur terre pour en jouir. La meilleure chose que j'avais à faire était d'incarner cette joie immense qui est à la source de tout. Mais il y a loin de la coupe aux lèvres ! Oser être heureux n'est pas une mince affaire pour moi, c'est une progression lente et pleine d'embûches où je perds sans cesse mon chemin parce que mon mental complique tout.

Il n'empêche que cette expérience m'a donné une force et une sécurité intérieures que je n'ai jamais connues auparavant. Près de la mort, il m'a semblé que, pour la première fois de ma vie, j'étais à la bonne place au bon moment. Il m'a semblé qu'enfin j'avais une réponse aux questions qui m'ont hanté depuis mon enfance alors que je passais des heures à tenter d'imaginer ce qui arrive lorsque nous mourons, ou encore à me faire une image de l'infini sans me perdre dans le vertige et dans l'angoisse.

La folie de ma vie m'est aussi apparue avec une netteté surprenante. Vivre comme je le faisais à la poursuite de toutes sortes de choses, sidéré par la peur de manquer une bonne occasion ou un événement d'importance, dans une course effrénée pour être partout à la fois, c'était ça la folie ! Cette course s'est arrêtée au pied de mon lit, à la clinique. Là, réduit à l'impuissance totale, pouvant à peine marcher, rien ne me manquait, comme il ne manque rien à l'enfant absorbé par son jeu. L'univers était contenu dans chaque parcelle de celui-ci et une simple feuille devenait sujet à émerveillement. J'avais retrouvé l'esprit et la simplicité de l'enfance.

Malgré les heurts et les égarements, je peux dire que chaque jour je retrouve un doux sourire et un regard rieur au fond de moi, comme un velours sur mon coeur. Ce regard m'empêche de me prendre totalement au sérieux ou de croire en la permanence de quoi que ce soit. Cela prend une importance capitale dans mon attitude vis-à-vis de l'inévitable souffrance. Je pense que tenter d'éviter de souffrir est vraiment se priver d'une source vive d'apprentissage.

En écrivant ces lignes, une parole de Jésus m'interpelle : « Je viendrai comme un voleur ! » En effet je me rends compte qu'à moins d'être volé à nos préoccupations quotidiennes, à moins que notre santé et notre vie même ne soient menacées, nous ne nous éveillons pas. Nous poursuivons notre vie de façon automatique, mangeant et dormant, aimant et haïssant, pleurant et riant ; nous naissons et nous mourons sans connaître la racine de nos existences. La terre reste en friche, elle n'est pas ouverte, nul soc de charrue ne la déchire et le grain n'y meurt pas pour renaître. Laissés à nous-mêmes, nous menons des vies sauvages, heureux une heure, malheureux la suivante sans comprendre et sans savoir pourquoi.

Le soc de la charrue qui ouvre nos vies et nos coeurs, qui travaille notre matière première pour nous rendre aptes à donner des fruits, porte la plupart du temps le nom de « souffrance ». C'est la crise qui nous oblige à nous prendre en main et à répondre une nouvelle fois à l'inévitable question : « Pourquoi est-ce que je continue à vivre ? » Le mot « crise » a d'ailleurs pour étymologie le grec *krisis* qui signifie : opportunité, décision. La crise est une occasion de changement et un moment de décision qu'il faut attraper au bon moment. La meilleure attitude devant la souffrance consiste, selon moi, à ne pas la refuser quand elle vient et à l'embrasser comme on embrasse un grand bonheur.

Par tout ce qu'elle m'oblige à faire, ma maladie est devenue un véritable guide dans ce retour vers moi-même. Au lieu de pleurer sur les limites qu'elle m'impose, j'ai décidé d'en faire le commencement d'une nouvelle vie. J'ai appris à manger différemment, à privilégier mon rapport avec la nature, et aujourd'hui je redécouvre mon corps. Dans ce sens ma maladie est initiatrice, elle m'emmène à initier, à commencer sans cesse un nouveau chemin. Elle me pousse à l'exploration intérieure et à donner de l'importance à ce qu'hier encore je négligeais. Bien que je souhaite acquérir le plus tôt possible la sagesse de me garder en santé, jusque-là elle me sert de baromètre.

Et puis il y a le coeur, l'ouverture du coeur. Les mots me manquent pour parler de cela. Comment dire que le coeur parfois s'ouvre sans peur et accueille une extase muette, comment dire qu'après une telle expérience tout nous touche au plus haut point, surtout la souffrance de nos semblables, et qu'il n'y a plus que le désir brûlant de tenter de l'alléger un peu ? Il ne s'agit pas d'altruisme, il ne s'agit pas de principes à respecter, il ne s'agit pas de se sacrifier pour les autres, il s'agit bien plus de la conscience de faire partie du même voyage. Tout me touche ! De la main tendue gratuitement vers moi quand j'ai besoin d'aide, à l'aide que l'on réclame de moi.

Je suis rempli de gratitude à l'égard de la bonne fortune de ma vie. Je suis heureux d'avoir la chance de manger chaque jour, je suis content des amis que j'ai, content de pouvoir connaître le succès, conscient qu'il n'en est pas de même pour tous, loin de là ! Il y a encore tant de famine, de violence, de souffrance et d'injustice. Je réalise avec de plus en plus de reconnaissance combien tout m'a été donné sans que je n'y sois pour grand-chose, à partir du premier don, la vie elle-même jusqu'au dernier, la conscience de vivre.

Je suis loin d'avoir réglé tous mes problèmes, mais ce qui m'apparaît le plus important c'est d'arriver à se réconcilier avec sa propre imperfection et avec l'imperfection fondamentale de cet univers. La seule chose qui est parfaite ici-bas, c'est l'imperfection. Nous vivons, pour ainsi dire, dans une parfaite imperfection qui constitue l'essence même du processus vital. C'est précisément parce qu'il y a irrémédiablement ce quelque chose qui cloche que nous restons en mouvement, cherchant constamment à atteindre l'équilibre. C'est parce que l'aventure n'est jamais terminée que ça vaut la peine de continuer.

Vivre dans une réalité infinie signifie précisément qu'elle n'est pas finie. J'éprouve donc moins le besoin d'être parfait ou que les autres le soient. Je fais de mon mieux par plaisir, sachant que chaque geste porte son ombre, même la meilleure de nos actions. Aimer ce qui nous entoure, se réconcilier avec le fait d'être humain, aimer jusqu'à notre imperfection, pouvoir témoigner de la beauté de la planète bleue, voilà les tâches qui m'apparaissent les plus urgentes en cette fin de siècle.

Pourquoi je vis? Je vis comme le nuage va et comme l'oiseau chante[3]. J'imagine l'oiseau chantant au lever du soleil et jubilant du fait d'être vivant, mêlant spontanément sa voix à celle de toute la création, participant de la sorte à la création de l'univers. L'oiseau s'oublie dans son chant, il ne se demande pas si son chant est beau : sait-il seulement qu'il chante ? Je crois que de la même façon le bonheur monte en nous lors de ces moments d'oubli de soi. Le chant de notre âme prend alors son envol, à l'aise, fragile et fort à la fois, parfaitement en harmonie, remplissant notre coupe jusqu'à ras bord.

Je sais que le sens de la vie ne s'explique pas, que la seule réponse valable à la question est la vie elle-même. Le coeur peut contenir la tête mais la tête ne peut comprendre le coeur. Je vis pour vivre. Voilà ! Je vis pour redonner une infime partie de ce que je reçois. Je vis le coeur plein de gratitude de pouvoir participer à cet immense mouvement de création. Je

3. *« Vivre comme l'oiseau chante » est une formule que j'ai empruntée au philosophe Alan Watts dont le livre Amour et connaissance (Bibliothèque Médiations, no 79, Denoël-Gonthier, Paris, 1958) m'a beaucoup aidé après ma sortie de l'hôpital. Le quatrième chapitre s'intitule « Le monde comme extase » et résume on ne peut mieux mon expérience.*

vis ébloui d'avoir la chance d'être présent au mystère. Chaque jour, je vois le miracle ordinaire se refaire devant mes yeux.

Je vis parce qu'il fait beau aujourd'hui et qu'il pleuvra demain. Je vis parce que, chaque été, les rues du centre-ville de Montréal résonnent pendant dix jours de la musique du Festival de jazz, et qu'il est bon de se rendre compte que nous pouvons faire autre chose que la guerre. Je vis pour manger, pour faire l'amour, pour avoir faim, pour être désespéré à vouloir me suicider et je vis pour pouvoir en renaître. Je vis pour le plaisir vif et cru de vivre. Je vis pour voir la suite. Je vis pour oser, à la mesure de mes moyens, donner une voix simple et vraie à l'amour qui nous habite tous et qui nous attend sans cesse.

Je m'arrête ici, car mon cheval est fatigué de galoper et je risque de le perdre à travers les mots. Qui veut vraiment passer le reste de son existence à courir de village en village en cherchant sa monture ?

Guy Corneau
Montréal, juillet 1991

Agnès Grossmann

Ceux qui connaissent Agnès Grossmann sont frappés par son énergie et sa détermination. Née à Vienne, elle n'a qu'une passion, la musique, qu'elle a étudiée notamment à Vienne et à Paris.

Pianiste de concert, elle choisit ensuite d'étudier la direction d'orchestre dans des circonstances qu'elle explique elle-même dans son témoignage. Mais le métier de chef d'orchestre à Vienne reste inaccessible pour une femme. Agnès Grossmann devient simplement chef de choeur, métier dans lequel elle acquiert une réputation enviable. Ses pérégrinations la mènent à Ottawa, puis à Montréal où elle dirige maintenant, pour notre bonheur, l'Orchestre Métropolitain de Montréal.

Sur le fil de la vie

PHOTO : ORCHESTRE MÉTROPOLITAIN DE MONTRÉAL

— Ça sonne beaucoup mieux comme cela. Alors, on reprend tout du début.

Je m'arrête un moment, étonnée du chemin parcouru pour assumer le rôle de chef d'orchestre. Moi, Agnès Grossmann, née à Vienne, je suis en train de diriger, à Montréal, l'Orchestre Métropolitain, reprenant avec les musiciens le deuxième mouvement de la Neuvième Symphonie de Beethoven, cette oeuvre monumentale que j'ai inscrite au concert-gala de l'orchestre. Quel étrange chemin m'a conduite jusqu'ici ?

Disons-le clairement, la direction d'orchestre fait partie des derniers bastions du machisme. C'est une profession d'hommes, entendez de mâles. Jusqu'à tout récemment, le chef d'orchestre jouissait souvent d'un pouvoir despotique sur son orchestre, pouvait laisser libre cours à des conduites qu'on associait avec la « virilité ». Par exemple, un directeur pouvait crier à tue tête, engueuler un musicien, voire même le congédier sur-le-champ. Il arrivait même que la baguette servît à d'autres fins que de diriger ! Les accès de colère figuraient au menu.

Par bonheur, les choses changent. La syndicalisation a permis aux musiciens de défendre leurs droits et de se mettre à l'abri des sautes d'humeur des chefs d'orchestre. L'image de la virilité change également. La psychologie a bien démontré la dimension pathologique d'une certaine ivresse du pouvoir. Plus encore, elle nous a fait comprendre qu'une certaine manière d'exercer le pouvoir produit des effets néfastes non seulement sur ceux qui obéissent mais aussi sur ceux qui commandent. De toute façon, la discipline peut s'obtenir par d'autres moyens que la répression. Dans le milieu musical, peu à peu de nouveaux chefs sont apparus qui traitent aimablement leurs musiciens et témoignent de leur force par leur vision intérieure, leur maîtrise d'eux-mêmes, leur implication, leur créativité.

Ainsi, de plus en plus, les musiciens attendent de leur chef une capacité d'écouter, une propension à traiter avec eux d'égal à égal dans le respect des droits de chacun. L'autorité n'est pas le fruit de la répression mais d'une capacité de mettre en commun les dynamismes de chaque personne. Sur ce plan, il me semble que les femmes peuvent apporter une riche contribution et prendre pleinement part au leadership. C'est bien là, dans le changement de la conception du leadership et de l'autorité, que s'amorce la percée des femmes. Le système patriarcal ne s'écroulera pas de façon magique pour autant, mais on peut espérer l'émergence d'une humanisation des rapports hommes-femmes. La femme peut cesser d'être un objet et devenir un sujet à part entière. Hommes et femmes peuvent se reconnaître comme égaux et se soutenir mutuellement. Dans ce mouvement d'ensemble, les femmes peuvent sortir de leur ghetto, développer leurs forces cachées, prendre des décisions, apprendre à s'exprimer, s'assumer entièrement elles-mêmes et établir avec les hommes un nouveau type de dialogue susceptible de conduire les uns et les autres à une vision renouvelée d'eux-mêmes.

C'est en regard de ce changement de toute la société que j'ai osé aborder la carrière de chef d'orchestre. Je l'ai fait sans trop savoir où cela me mènerait. Plus encore, c'est même une épreuve douloureuse qui m'a poussée dans cette direction.

Car c'est comme pianiste que j'ai commencé ma carrière musicale. La musique est ma vie. Mon père, lui-même musicien, a découvert cela quand j'étais toute petite et m'a permis de développer mes aptitudes en ce domaine. Alors a commencé mon histoire d'amour avec le piano. Le piano est comme un monde en soi, un monde à part dont la couleur sonore m'envoûte. Et quel moyen d'expression où le coeur peut se dire, se confier avec d'infinies nuances ! C'est le miroir de ma vie intérieure, le compagnon fidèle qui libère en moi le langage de l'amour. À mesure que la pianiste en moi se développait, mon corps, mes bras, mes mains, mes doigts devenaient comme les canaux et les antennes de mon expression artistique. Le corps, le coeur, l'esprit, le piano lui-même se fondent en une seule réalité alors que les nuances de l'expression surgissent spontanément. Bien sûr, il faut une maîtrise technique parfaite. Mais la technique passe à l'arrière-plan pour se fondre dans l'interprétation. Ainsi le piano était devenu ma vraie parole, la source de ma vie et de ma joie.

Études à Vienne et à Paris. Diplômes. La carrière allait bien et prenait une dimension internationale : l'Europe, les États-Unis, le Japon. Un certain jour, je sens une gêne dans le majeur de la main droite, comme un frein, une perte de contrôle. De retour à Vienne, un spécialiste m'examine, découvre un nodule sur un ligament et me propose une intervention chirurgicale. « Deux semaines de convalescence, et vous pourrez jouer de nouveau. »

L'opération eut lieu comme prévu. Mais quand je suis retournée à mon piano, deux semaines plus tard, rien n'avait changé. Le docteur prescrivit de la physiothérapie. Je m'y lançai à corps perdu, inventant toutes sortes d'exercices pour redonner à mon doigt sa force et son autonomie. J'obtenais certains résultats positifs, jamais rien de stable. Pendant un an et demi, je fis le tour des spécialistes. En vain ! La situation devenait intenable : je mettais toute mon énergie, tout mon espoir à guérir et il me fallait apprendre à plier la tête devant la fatalité. Ma carrière de pianiste s'écroulait comme un château de cartes. Je me sentais comme un oiseau qui ne peut plus ni chanter ni voler. Comment alors trouver un sens à la vie, à ma vie ?

À cette époque, toute ma vie gravitait autour du piano. La question du sens de ma vie ne se rapportait qu'à mes objectifs musicaux. Maintenant que ma capacité de jouer et de m'exprimer sombrait, tout n'était que vide. Je compris à quel point j'avais négligé d'autres aspects de ma vie. J'avais toujours manifesté une volonté absolue de pousser à bout mon talent ; je n'avais pas assez appris à être et à recevoir.

Je fus ainsi renvoyée à la question de ma propre intériorité. L'âme a besoin de nourriture intérieure, une nourriture que l'on trouve dans l'éveil à la beauté de la nature, dans le développement d'une pensée positive et créative, dans la reconnaissance et l'accueil de ce que la vie nous offre de bon. J'ai commencé à comprendre que la valeur d'un être humain ne dépend pas seulement de ses réalisations extérieures mais surtout de sa capacité de vivre des expériences. L'amour de la vie pour elle-même passe bien avant le calcul des échecs et des réussites. Cet amour de la vie m'a procuré un nouvel espoir et un courage renouvelé pour recommencer.

Dans ma quête spirituelle, je me suis beaucoup intéressée au bouddhisme zen et cela m'a permis une réconciliation avec ma propre foi chrétienne. Je connaissais déjà Maître Eckhart, mais la prière, surtout la répétition machinale des mêmes formules, me semblait vide de sens. J'ai découvert peu à peu la prière et la méditation sous un autre éclairage. Les mots importent moins que l'état mental dans lequel on se situe, jusqu'à l'illumination de l'esprit, dans l'unité du Tao, ou de Dieu.

Bien longtemps, j'ai pensé que l'état mental dépendait d'abord des circonstances extérieures. Je commence à comprendre que je suis, consciemment et inconsciemment, créatrice de mes propres tendances, à quel point je puis orienter moi-même mes pensées et mes sentiments, à quel point je puis déterminer le cadre de mon esprit.

Pendant toute cette période, je me suis sentie comme une acrobate, suspendue au-dessus d'un gouffre où je sombrerais dès que l'espérance et la volonté de vivre m'abandonneraient. Seul le contrôle de mes propres pensées pouvait me garder en équilibre sur le fil de la vie. J'ai compris à quel point je m'étais éloignée de moi, comment mon âme ressemblait à un enfant abandonné. Ainsi, la découverte du monde intérieur fut comme le point de départ d'une nouvelle vie.

Pourtant, je le savais, jamais je ne pourrais vivre sans musique. J'ai donc décidé d'apprendre la direction d'orchestre. Le piano a l'avantage d'être un instrument à capacité multiple, permettant de jouer des accords à multiples voix et en polyphonie. Je ne me sentais pas capable de me restreindre à un instrument à une seule voix. Dans cet esprit, la direction d'orchestre et de chorale me semblait un prolongement naturel du piano. J'ai donc fait le saut.

Quelle aventure ! Le retour sur des bancs d'école avec de très jeunes étudiants — qui n'avaient aucune expérience musicale. Et surtout Vienne, le château fort de la tradition chauviniste mâle, Vienne, dont aucun des deux orchestres n'accepte, encore aujourd'hui, une femme comme membre. D'ailleurs, dans ma classe, j'étais la seule femme originaire d'Autriche.

Je me demandais comment se ferait la transition du clavier à la baguette de chef d'orchestre. Au début, cela me parut sans espoir. Comment faire passer à travers une baguette rigide l'expressivité et les multiples nuances que permet le contact avec le clavier ? Après un an et demi d'études intensives, je me retrouvai, un jour, devant l'orchestre des étudiants de la faculté de musique, dirigeant la Symphonie inachevée de Schubert. Après l'exécution, le professeur me dit : « Avez-vous remarqué qu'aujourd'hui l'orchestre sonnait différemment ? — Oui, répondis-je. — Voilà, vous avez maintenant trouvé votre langage, votre moyen d'expression. »

Il avait raison. Ce jour-là marqua un point tournant dans mon évolution. Mon développement s'effectua rapidement et intensément. Je découvrais des possibilités nouvelles d'expression et devenais capable de communiquer avec les musiciens devant moi avec ma baguette.

Le reste s'est enchaîné tout naturellement, pourrait-on dire. Une fois mes études terminées, on me confia d'abord une tâche d'enseignement à la réputée faculté de musique de l'Université de Vienne, comme professeure de formation auditive pour jeunes chefs d'orchestre et compositeurs. Je devins également l'assistante de Gunther Theuring à la Chorale des Jeunesses Musicales de Vienne. Mais je compris vite que les possibilités pour une femme de diriger étaient très limitées. Faire étudier les oeuvres, les faire répéter, très bien. En diriger l'exécution, pas question.

J'acceptai donc, en 1981, un poste de professeure invitée à titre de directrice d'orchestre et de chorale à l'Université d'Ottawa. J'y demeurai deux ans et j'eus alors, pour la première fois, l'occasion d'être pleinement responsable d'une production et de pouvoir enfin faire de la musique sur scène, comme autrefois. Quel bonheur indescriptible !

Deux ans plus tard, je revenais à Vienne, cette fois comme directrice artistique de la célèbre « Wiener Singakademie », devenant ainsi la première femme directrice d'une institution musicale à Vienne. J'y fus trois ans, de 1983 à 1986. Je pense avoir réussi à conférer au choeur une qualité renouvelée, acquérant de ce fait à Vienne une réputation enviable comme chef de choeur. Mais là encore, j'avais rarement l'occasion de diriger des concerts en Europe, car les chefs de choeur préparent la chorale alors que les chefs d'orchestre invités dirigent les concerts.

En 1984 l'Orchestre de chambre de Toronto m'accueillit d'abord comme chef invité, puis m'offrit la tâche de directeur artistique. Cela me permettait de cumuler la direction de l'Orchestre de chambre de Toronto et celle de la « Wiener Singakademie » de Vienne. Évidemment, cela voulait dire aussi six ou huit traversées de l'océan par année, avec le décalage horaire et la fatigue associée à cela, ainsi que le travail intensif sur les deux continents. Cependant, tout ce travail des deux côtés de l'océan en valait cent fois la peine car il rapporta des fruits magnifiques.

Quand je devins directrice de l'Orchestre Métropolitain de Montréal, en 1986, je décidai d'abandonner mon poste à Vienne pour me consacrer entièrement à ma tâche actuelle. Je dois dire que j'y trouve une immense satisfaction.

La direction d'orchestre a ses défis propres : l'intonation, l'interprétation et toute l'interaction entre la directrice et les membres de l'orchestre. La façon de corriger, de faire des remarques, ou d'exprimer ses attentes. Et surtout l'animation : susciter la joie et l'enthousiasme pour la musique, faire découvrir et apprécier une oeuvre, partager le plaisir pendant le travail mais plus encore la joie euphorique lors de l'exécution publique. Dans les heures de gloire, naît une grande unité entre les musiciens et la directrice : alors tous participent pleinement à un même événement musical.

Quand je regarde mon propre cheminement, il me semble que toutes les résistances que nous éprouvons au cours de notre vie constituent des pierres de touche de notre « solidité ». Le défi est de toujours recommencer, de tirer parti de la critique de la façon la plus constructive qui soit, de travailler au plein développement de soi-même. Bien sûr, la situation actuelle oblige encore les femmes à être meilleures que les hommes pour réussir de manière équivalente. Mais, femmes ou hommes, la tâche de notre vie réside dans le développement de tout le potentiel qui est en nous, non pas dans un combat les uns contre les autres, mais en solidarité, les uns avec les autres, les uns pour les autres, en harmonie avec la nature.

L'être humain engagé dans une profession n'a pas seulement comme défi de produire un travail de la plus haute qualité professionnelle ; il doit surtout atteindre sa plus haute qualité comme être humain tout court. Quelle extraordinaire vocation !

Agnès Grossmann

PIERRE DANSEREAU

La démarche souple, il semble doué d'une éternelle jeunesse, même s'il franchit cette année le cap des quatre-vingts ans. Né à Montréal, Pierre Dansereau se captive d'abord pour la botanique (il a eu Marie-Victorin pour maître), puis élargit peu à peu son horizon vers une science encore toute neuve, l'écologie, dont il est un pionnier. Par le hasard des circonstances extérieures comme par exigence intérieure, il mène une carrière internationale, avant de revenir à l'Université du Québec à Montréal dont il est professeur émérite.

L'oeuvre scientifique de Pierre Dansereau est considérable, en français comme en anglais. Elle porte principalement sur la taxonomie, l'écologie végétale, urbaine et humaine, la biogéographie, l'aménagement du territoire. Le livre Pierre Dansereau, l'écologiste aux pieds nus *par Thérèse Dumesnil (Montréal, Nouvelle Optique, 1981, 215 pages) raconte en interview l'essentiel de son itinéraire.*

Dans son texte, Pierre Dansereau s'adresse à un évêque fictif, reprenant un genre littéraire qu'il avait utilisé il y a plus de trente ans, genre qui rappelle la méthode socratique du dialogue.

Poursuivre l'espoir d'hier

Préface à mes projets inachevés

PHOTO : SERVICE RELATIONS PUBLIQUES, UNIVERSITÉ DU QUÉBEC À MONTRÉAL

Percé, 18 juin 1991

Mon cher Étienne,

Au seuil de mes quatre-vingts ans, il est temps de m'expliquer à moi-même *mes raisons de vivre,* mais je ne veux pas le faire en chuchotant dans un repli intime, mais plutôt en me tournant vers ceux qui m'ont nourri, qui m'ont vêtu, qui m'ont secouru. Ils sont nombreux, et j'aurai l'occasion d'en nommer quelques-uns, mais pour un examen comme celui-ci, pour une réponse à Socrate comme celle-ci doit l'être, je dois regarder un seul interlocuteur dans les yeux. J'ai perdu depuis longtemps le besoin et l'habitude du confessionnal, et pourtant c'est un homme de Dieu qui pourra le mieux m'entendre. De plus, tu as beau être évêque, tu es encore très jeune et c'est l'avenir qui me préoccupe. Je ne suis ni ton père ni ton maître, mais les carrefours où nous nous retrouvons de loin en loin sont marqués par des croix dans nos itinéraires respectifs.

Autant revivre aujourd'hui le premier grand thème de ma vie : la *nature.* Les autres sont l'*échange* et le *témoignage.*

La nature

En ce moment, je regarde la mer scintillante. « Quand on ne la regarde pas, la mer n'est pas la mer », écrivait Supervielle. Or, je la regarde et je me l'approprie : son dynamisme et ses cycles me sont visibles. Pour le moment, c'est le passage d'un banc de capelans, et les fous de Bassan ont quitté les falaises de l'île Bonaventure par milliers, et le ciel est plein de leur danse et la mer étoilée des petits geysers que leur plongée en torpille fait surgir. C'est une orchestration très volontaire, des trajectoires dures, des proies assurées, engorgées mais pas digérées qui seront livrées aux gros oisillons voraces dans leurs nids en forme de trône. À contre-trame, le vol fragile des mouettes toujours un peu basculé par le vent, le plané paresseux des goélands, la ligne droite et noire des cormorans. Mais les capelans ont fait un virage et les margaulx posés sur l'eau démarrent en masses et reprennent leurs plongées en profondeur. Ce déploiement d'énergie va durer des heures, et la lumière va changer, les eaux vertes deviendront bleues, le rocher Percé se teintera de jaune, puis d'orangé, l'horizon sera presque noir. Mais les paillettes de soleil sur l'eau continueront de tendre la toile de fond.

Cette *explosion biologique,* j'en avais été témoin dès ma plus tendre enfance au mont Royal où les trilles et les sanguinaires formaient un tapis au pied des érables nus qui laissaient passer le soleil du printemps. Puis j'ai appris la lecture des pierres avec leurs coquillages et leurs poissons figés depuis des millions d'années. Je suis remonté dans le temps des fougères et des trilobites minéralisés, parcourant ces paysages qu'aucun homme n'a jamais vus. Puis, je suis parti à la découverte de ces plantes agrippées aux crans des falaises et des montagnes dès avant le déferlement des glaces quaternaires qui ont comblé les voies de migration « a mari usque ad mare ». Et je suis revenu aux oiseaux pour connaître l'amplitude de leurs voyages et l'accord de leur sexualité avec la longueur des nuits. Tant chez les hirondelles et les pluviers que chez les margaulx et les oies des neiges, l'obéissance aux signaux lumineux déclenche le départ massif des grasses prébendes d'hiver pour le péril du voyage et l'horizon lointain des amours et de la couvaison. La fidélité des couples et la synchronisation des vols m'apparaissaient comme une réponse extraordinairement efficace.

Ces surgissements du métabolisme végétal et animal, leur réponse à la lumière, à la chaleur, à l'eau et à la nourriture, je les ai vécus à toutes les latitudes. Les claytonies et les érythrones formaient des masses solides de feuilles et de fleurs pour disparaître complètement aussitôt que les arbres jetaient leur ombre dans l'érablière. Les verges d'or et les asters dans les prairies ne faisaient que des feuilles jusqu'en août, alors qu'ils fleurissaient abondamment. Les genêts et les cistes de la garrigue méditerranéenne puisaient dans la réserve des pluies d'hiver pour colorer et embaumer ce paysage que les Romains et les Français avaient dépouillé de sa forêt de chênes-verts. Plus familières encore, et pourtant admirables, étaient les pulsations de l'herbe à poux et des pissenlits dans les terrains vagues, le concert des grenouilles et des canards des marais, les mouvements furtifs des marmottes et des chevreuils dans les clairières. J'ai fait mien « le langage des fleurs et des choses muettes » (Baudelaire) au cours de mon apprentissage centré sur la péninsule de Gaspé. Je me suis dégagé de l'anthropocentrisme difficilement évité dans les « écrits de nature ». Mes maîtres, le père

Louis-Marie, trappiste d'Oka, et le frère Marie-Victorin, m'apprirent à me réjouir de mes découvertes, à dépasser l'identification en latin pour observer l'anatomie et la physiologie des lits d'eau, des potentilles, des violettes et des érables qui révélaient déjà quelque chose de leur cheminement génétique et de leurs migrations anciennes et récentes.

En les nommant, comme Adam (mais surtout comme Linné ou De Candolle), je me les appropriais, je me constituais un patrimoine. Mais surtout, je libérais ma vision du paysage (ici tout vert, là jaune et rouge) en sachant leur capacité d'enracinement, de feuillaison, de dispersion. Je pouvais désormais animer une colline ou un bord de mer en reconstituant les cycles d'érosion et d'inondation, la compétition entre les herbes et les arbustes, la saturation des ressources du sol, l'effet du vent, du sel, du feu, des animaux et finalement de l'homme.

Cette maîtrise précoce de la Laurentie me préparait-elle à une compréhension plus globale dans l'espace et dans le temps ? Cette grande aventure — qui n'est pas finie ! — m'a valu des joies qui ont nourri toute mon existence. D'abord, l'Europe, si complètement investie, puis le Brésil de la luxuriance tropicale me firent participer concrètement à d'autres problèmes biologiques. Puis, ce furent les îles, centres d'endémismes précieux : Canaries, Açores, Nouvelle-Zélande, Nouvelle-Calédonie, Tahiti, Hawaii, Galápagos, Philippines, Antilles portaient chacune la trace de bouleversements géologiques et révélaient leur grande vulnérabilité et l'impuissance à réaliser leur potentiel. Puis ce fut l'Afrique Noire et l'Amérique centrale avec leurs alternances de sécheresse et de pluies diluviennes. La réponse au froid à Baffin et en Patagonie répétait le patron des montagnes avec leurs étages climatiques (Pyrénées, Alpes européennes et néo-zélandaises, Rocheuses, Andes, massifs côtiers du Brésil et de la Californie).

19 juin 1991

Tu as bien compris que je cherche ici à m'expliquer et non à me valoriser. Ce n'est donc pas le lieu d'esquisser la problématique de mes recherches, ni de défendre l'originalité de mes hypothèses de travail, non plus que de pondérer la valeur de ma contribution. Le présent message demande toutefois un regard sur le soutien de ma motivation, quelle que puisse être l'importance de mon *oeuvre.*

Si j'ai lâché ce mot que tu voudras bien ne pas trouver présomptueux, c'est parce qu'il est essentiel à mon propos. J'ai souvent observé, au cours de ma carrière, que beaucoup de scientifiques (serait-ce même la majorité ?) ne sont pas conscients de produire une « oeuvre ». Autrement dit, leurs travaux se succèdent, dans une certaine continuité chronologique sans qu'ils y voient la genèse d'une pensée qui porte leur empreinte personnelle. Je pense avoir toujours voulu poser cette marque, avoir toujours été soucieux de la continuité et surtout de la cohérence de mon entreprise. Un de mes plus brillants étudiants (vers 1954) m'avait peut-être révélé ce dessein quand il m'avait dit : « Il n'est pas facile de lire un de vos travaux si on n'en a pas déjà lu d'autres ». Cette critique était un éloge que ne masquèrent pas les plaisanteries qui servirent alors à détourner l'admiration et la modestie.

26 juin 1991

Une semaine entière de beau temps ! Une semaine de ces jeux météorologiques qui ont enchanté mon enfance. L'hypothèse Gaia devait m'offrir dans les années 1980 une prise plus ferme sur l'*interaction des sphères de ressources.* Mais mon enfance à Percé s'était nourrie, tous les jours et toutes les nuits, de la respiration cosmique avec ses aurores boréales, ses failles dramatiques dans l'écorce terrestre qui disloquaient les montagnes et soulevaient les plates-formes continentales, ses violents équinoxes qui raclaient les fonds rouges de la mer, battaient les barachois, accumulaient des bancs de gravier et déposaient d'énormes souches déracinées sur les herbes rutilantes des prés salés.

J'avais appris d'abord la géologie de la roche dure (« hard rock geology ») qui apprivoise le temps, qui invite à lire dans le paysage l'histoire de centaines de millions d'années. Les Laurentides (précambriennes) ne conservent aucun vestige de vie, alors que les Appalaches gaspésiennes emprisonnent des fossiles de l'ère primaire : brachiopodes, trilobites, fougères, prêles et poissons préfigurent les formes bien vivantes qui investissent le paysage d'aujourd'hui.

Quant aux plantes vivantes que je foulais des pieds ou qui me fouettaient le visage dans la forêt, mes parents et les personnes, pourtant « cultivées », qui passaient l'été à Percé ne pouvaient rien nommer, rien identifier, si ce n'est les récoltes et les « mauvaises herbes » (mauvaises, les marguerites ?), et quelques oiseaux de mer.

Il m'a fallu attendre Marie-Victorin et Jacques Rousseau, dans les années 30, pour libérer ces feuilles et ces fleurs, ces volatiles et ces souris de leur anonymat. Avec quel élan je m'étais immergé dans cet avide catalogage, puis dans l'insertion des pièces dans la mosaïque des écosystèmes ! Avec quel bonheur, plus tard, en Europe, au Brésil, en Nouvelle-Zélande, en Afrique, j'ai abordé d'autres paysages en remontant l'échelle géologique, depuis l'ajustement de la plante ou de l'animal à sa niche actuelle pour mieux comprendre les vicissitudes de sa survie dans les états antérieurs du pays, ses migrations (et celles de ses ancêtres et de leurs espèces compagnes) à mesure que dérivaient les continents, que d'énormes quantités d'eau se figeaient à l'état solide et faisaient baisser le niveau des mers.

Quel bonheur dans l'ouverture de cette connaissance du monde vivant que j'avais désormais l'ambition d'enrichir en ajoutant quelque chose au répertoire connu. C'est ici, à Percé, qu'étudiant en botanique, je gravissais les montagnes, parcourais les plages, trébuchais dans les tourbières et m'agrippais aux falaises. Ma première contribution à la science fut la « découverte » d'une station jusqu'ici inconnue de l'*Erigeron compositus,* une petite vergerette arctique et alpine à distribution circumboréale (du Yukon aux Rocheuses et aux Sierras californiennes ; de la Saskatchewan à l'Arctique et au Groënland, puis au Québec [Le Bic et la Gaspésie]). J'entrais ainsi dans la grande controverse sur les migrations glaciaires et postglaciaires et dans l'orbite des spéculations biogéographiques sur les affinités de l'Extrême-Orient et de l'Europe occidentale avec le Nord-Est américain.

Au cours de mon itinéraire scientifique, passant de la taxonomie et de la floristique inspirée par Marie-Victorin à l'écologie et à la phytosociologie et plus tard à l'écologie humaine, je devais maintenir les deux pieds fermement sur le terrain. En 1963, dans un discours qui inaugurait une station de recherche écologique à 2000 mètres d'altitude au Colorado, je me présentais comme «barefoot scientist». Au moment où les percées les plus importantes du siècle en physique nucléaire et en biologie moléculaire monopolisaient l'attention, les énergies et les crédits, je réaffirmais la persistance du besoin de vérification dans la nature.

L'*appropriation* des objets, des êtres vivants, des paysages entiers est donc le moyen d'un renouveau sans fin. L'encadrement des éléments perçus dans des dimensions sensorielles et la *traduction* de ces expériences concrètes dans des *modèles systématiques* auront donc toujours été et demeurent encore essentiels à ma démarche. C'est ainsi que je vois la place de l'homme de science dans la nature, le souci qui l'amène à nidifier sa connaissance dans son Weltanschauung.

27 juin 1991

L'échange

L'émerveillement devant la nature et l'appropriation de ses êtres et de ses objets sont des processus de perception et d'interprétation qui occupent le flux central de ma conscience. La cumulation des expériences qui ont jalonné ce parcours s'accompagne de remises en question et de synthèses qui doivent se nourrir d'échanges et d'emprunts. Et quel meilleur théâtre que celui de l'enseignement ?

Montréal, 7 juillet 1991

Combien souvent j'aurai tenté de retrouver la trame d'une pensée après avoir changé de *décor*. Quel terme curieux, appliqué à l'arrière-plan du *paysage* où l'on se trouve ! Pour moi qui préfère m'immerger, me fondre dans l'ambiance où je baigne, le milieu est loin d'être décoratif, c'est-à-dire accessoire, il est essentiel.

Autant le Percé de mes éveils successifs m'aura inspiré et nourri, autant Montréal qui m'a vu naître et que j'ai retrouvé à toutes mes époques est le cadre de ma vie. Plus particulièrement cette rue Maplewood, à Outremont, et ma maison à deux pas de la résidence familiale.

Me voilà dans la splendeur estivale de mon jardin, dans un horizon intime qui contraste avec la mer gaspésienne. Certes le ciel est aussi haut, et on y voit passer les goélands à bec cerclé, ce *Larus delawarensis* dont le nom évoque la vaste baie de Chesapeake où se déversent les effluents de la mégalopole américaine. Ce messager est venu nicher ici en 1967 sur une île artificielle, déchet de l'Exposition universelle. Mais il ne pénètre pas dans le monde intime de mon jardin où les écureuils ont semé des noyers, où les merles ont dispersé les fruits des smilacines, des aralies, des sureaux, où le vent dépose les samares des érables, l'hélice des tilleuls, le parachute des asters et des eupatoires, et la fine poussière des graines d'orchidée. Le gazon, les plates-bandes, les boîtes et les corbeilles sont plantés d'exotiques lilas, pivoines, hémérocalles, impatientes et bégonias. Mais les « mauvaises herbes » provenant de l'Europe, de l'Asie, de l'Amérique du Sud, ont aussi leur place. J'aurai arraché les pissenlits, les moutardes, la douce-amère, la chélidoine, mais laissé venir la prunelle, la renoncule, la véronique, le fraisier, le trèfle blanc qui émaillent un gazon bosselé par les réseaux souterrains des musaraignes. Les jeux de l'ombre et de la lumière, la chaleur du jour et le frisson de la nuit, le chant des oiseaux et le feu vert des lucioles et le concert strident des criquets donnent son rythme à cet espace intime où je reprends ma réflexion.

C'est justement ici, mon cher Étienne, que je t'écrivais, il y a trente ans, quand tu étais séminariste. Je te parlais alors de « prier avec les mains », selon l'expression de Denis de Rougemont. Je reprenais alors la phrase d'Emerson qui avait dit que « la plus grande pauvreté c'est de ne pas vivre dans un monde physique ». C'est une thèse que l'« écologiste aux pieds nus » devait reprendre constamment. Cette perception n'est-elle pas aussi celle de Teilhard de Chardin, défiant l'accusation de panthéisme et se plaçant résolument « au coeur de la matière » ?

Dès le début de ma carrière, je commençais un cours en disant à mes étudiants : « Si je n'apprends rien de vous, il se peut que vous n'appreniez pas grand-chose de moi ». Cette invitation au dialogue a souvent été bien reçue mais elle causait de l'embarras à ceux qui étaient habitués à « écouter le maître » ou à ne retenir que ce qu'il faut pour passer l'examen qui achemine vers le diplôme. Pour d'autres encore, une telle incitation était incompréhensible.

Je ferai peut-être un jour l'examen (plutôt que le procès) des différents cadres, universitaires et autres, où il m'a été donné d'enseigner. Mais je peux signaler ici quelques-uns des éléments négatifs ou positifs qui se dressaient dans les institutions en question.

Ainsi, la *rigidité des structures pédagogiques,* en France notamment, où le prestige des professeurs semble imposer le maintien d'une grande distance entre eux et les étudiants. Ou encore, surtout au niveau universitaire, la *prédominance de la matière* sur la personnalité de l'enseignant. Il m'arrive très souvent, ces dernières années, de questionner un étudiant sur les cours qu'il a suivis et de découvrir qu'il ne se rappelle pas les noms des professeurs qui les avaient donnés. (À la réflexion, ils me diront : « Jacques » ou « Bernard » — un bon copain, quoi ? une « personne-ressource » qui ne prétendait même pas au professorat !) Un troisième facteur négatif : l'*obsession « factuelle »* et *« objective »* qui compartimente le savoir et qui ne repose que sur des certitudes, c'est-à-dire sur un consensus entériné par le dernier manuel paru. Faut-il signaler que beaucoup d'enseignants, encore aujourd'hui, sont pleinement d'accord avec ces trois propositions ?

14 juillet

Je ne retrouverais pas facilement le moment où j'aurais orienté mon rôle de professeur en opposition à ces structures pédagogiques conventionnelles et sécurisantes. Même si un éducateur est inévitablement un *acteur,* je ne crois pas m'être forgé un *personnage.* Il me semble plutôt avoir vécu avec bonheur mes comparutions sur les nombreuses tribunes qui me furent offertes. Il me restait à récupérer les messages que m'avaient transmis mes mentors, c'est-à-dire les modèles de comportement qui avaient si efficacement contribué à ma découverte de moi-même et aux décisions que je devais prendre avec l'espoir d'être fidèle à ma vocation.

Je n'ai pas voulu souligner ces grands mots pour ne pas les alourdir d'une charge dramatique qu'ils n'ont jamais eue pour moi — né sous le signe de la Balance. Je sais très bien aujourd'hui que l'auto-révélation de l'éducation est progressive et que chacun doit traverser des seuils critiques avant de récupérer ces messages enfouis. Il m'arrive de temps en temps de rencontrer un ancien étudiant que j'avais cru inattentif et qui m'affirme, dix ou vingt ans plus tard, que mon enseignement l'a conduit à des décisions importantes pour lui. (Ou pour elle ? n'ai-je pas été souvent mieux compris par les femmes ?)

Qui donc m'a valu ces échanges révélateurs ?

Ma mère par son esprit de discipline et surtout par sa parfaite *autonomie,* par son langage aussi direct et simple avec le premier ministre qu'avec le laitier. Aucunement frondeuse, elle vivait en marge des bienséances sans les braver. Mon père par son esprit optimiste d'entreprise (la canalisation du Saint-Laurent en 1925 !), par la confiance (souvent mal récompensée) qu'il accordait à chacun de ses interlocuteurs. Les dogmatismes s'effondraient toujours pour lui devant les personnes qui défendaient une option contraire à la sienne. Et l'oncle Albert Lassalle, un médecin très grave, qui fut le premier à me parler un langage d'adulte, avec autant de respect que de sollicitude. Souvent, quand j'arrivais chez lui à l'improviste, tante Mimi m'avertissait de ne pas le déranger, car il étudiait ! *Étudier* à cinquante ans ! Peut-on ?

Mais il faut plus d'un père, et plusieurs oncles à chacun. Mes années d'adolescence furent pleines de rencontres heureuses et opportunes. Entre seize et vingt ans, je me liai d'une grande amitié avec une femme de 70 ans, Henriette Dessaulles St-Jacques, mieux connue sous son nom de journaliste au « Devoir », fondé par son cousin Henri Bourassa. J'avais déjà contracté le besoin d'écrire. J'éprouvais un grand bonheur dans ma facilité verbale, et je couvrais des centaines de pages au cours d'un été à Percé. Ce galop verbal, cette logorrhée, devaient être disciplinés, et Fadette m'y aida beaucoup. Elle lisait mes textes — prose, vers, théâtre — avec une ironique bienveillance. Elle me guidait aussi dans mes lectures, et nous discutions longuement des auteurs contemporains (je ne dis pas « à la mode ») : Mauriac, Gide, Chadourne, Julien Green, Lacretelle, Alain-Fournier, Duhamel. (Pour ma part, des Américains comme Sinclair Lewis et des Anglais comme John Galsworthy avaient déjà un attrait plus fort que les Français.)

L'apprentissage formel de l'écriture, toutefois, je le fis au collège Sainte-Marie avec le père Georges-Henri d'Auteuil. Je ferai toujours des réserves sur la discipline jésuite, sur l'obédience ignatienne qui cherchait à empoisonner les sources de la sexualité et qui plaçait l'obéissance au-dessus des vertus cardinales. Je garde un mauvais goût de ces huit années de purgatoire, mais un souvenir rédempteur de 1927-28, sous la férule de Georges-Henri d'Auteuil qui rendait enfin vivants les classiques — même Homère dans le texte. Mais surtout, ce professeur avait été le premier à valoriser la personne de ses élèves, à invoquer leur expérience personnelle, à ne pas condamner a priori les perceptions que nous pouvions avoir.

Un peu plus tard, je devais rencontrer un autre mentor, Albert Pelletier. Ce notaire bien tranquille était alors notre meilleur critique littéraire. (Ceux d'aujourd'hui le redécouvriront-ils un jour ?) Pour lui, les écrivains devaient avoir *des idées !* Plusieurs n'en avaient pas, mais moi, j'en avais ! Cette flatteuse distinction me rendait très attentif aux corrections sévères qu'il infligeait à mes textes. La revue qu'il dirigeait, « Les Idées », en publia plusieurs.

Ce fut donc grâce à Fadette, d'Auteuil et Pelletier que mon amour des mots se plia à une rigueur nouvelle où il trouva une satisfaction inespérée. Plus tard, en lisant Sartre, Conrad, Waugh, Nabokov, Updike, Valéry, j'ai pénétré dans un monde qui était proprement le mien. D'une part la maîtrise qui donne la liberté (« to have one's way »), d'autre part la grande détente, le soulagement, l'accomplissement de soi dans l'écriture.

Mais quel usage pourrais-je faire de cette relative virtuosité ? En termes évangéliques, comment faire fructifier ce talent ? Associer mes collaborateurs et étudiants à la plongée dans le milieu, à la valorisation des perceptions, à la licence d'utiliser toutes les formes de la connaissance ?

C'est sans doute ce que j'ai fait dans l'élan d'un besoin d'immersion dans la nature. Mais en opposition avec les prescriptions formelles de la philosophie scolastique et de la société bourgeoise. Dans ma jeunesse, j'ai pu me croire révolutionnaire, et ce n'est guère que dans la quarantaine (au contact de l'Espagne) que je me suis découvert anarchiste. Une telle prédisposition congénitale explique mes difficultés en matière d'autorité subie ou exercée. Si je rejette tranquillement les ordres, je ne sais pas, non plus, en donner. Quel désastre que mon stage comme doyen d'une faculté ! Quel « malajustement » dans une académie où l'échelle salariale est basée sur l'accession à des tâches administratives.

J'avais été enchanté d'entendre dire à Katherine Ann Porter (professeur invité à l'University of Michigan, dans les années 50) : « I am happily maladjusted ». J'exprimais la même disposition en écrivant : « Je ne cherche pas à résoudre mes contradictions, mais à les équilibrer ». C'est ainsi que je peux prendre mes distances vis-à-vis des mandements formels et des habitudes rituelles sans quitter la pratique de l'Église catholique. C'est ainsi, également, que je peux combattre l'idéologie capitaliste tout en bénéficiant des avantages que me vaut une classe sociale dont je rejette les valeurs.

Un tel cheminement ne s'est pas fait sans ruptures personnelles, et surtout institutionnelles. La lucidité avec laquelle je m'efforce aujourd'hui de retracer mon itinéraire ne m'aura pas toujours servi. De façon rétrospective, toutefois, il me semble avoir été guidé par le besoin de préserver ma *capacité d'échange.*

Le témoignage

15 juillet

L'« Encyclopaedia Britannica » me consacre un paragraphe biographique, un privilège que je place au-dessus des doctorats d'honneur et des médailles. Elle signale mon rôle de *pionnier,* ce dont je suis fier, tout en reconnaissant que le premier arrivé (pas le premier venu, quand même) n'est pas forcément le meilleur explorateur. Mes nombreux « projets inachevés » témoignent de la catholicité de ma démarche plutôt que de ma persévérance. Je ne concéderais pas, pour autant, que je ne suis allé au bout d'aucun effort. Ma bibliographie rend compte d'un bon nombre de projets dûment terminés.

Pionnier, témoin, auteur et acteur, j'aurai joué successivement ces rôles, chacun étant indispensable aux autres et pourtant antagoniste et correcteur. La direction que prenaient mes initiatives correspondait à une urgence tantôt intellectuelle, tantôt émotive et tantôt morale. Mon éducation catholique et bourgeoise m'avait imbu d'un sentiment de responsabilité : ayant beaucoup reçu, j'étais tenu de beaucoup donner. L'éducation jésuite avait adapté une forme élitiste à cette obligation et je ne prétends pas avoir complètement dépassé ce sentiment en tournant le dos à ma classe sociale dont je continue à partager les bénéfices. Les virages que j'ai pris n'ont cessé de remettre en question des *appartenances,* dont finalement je ne retiens pas grand-chose dans mes « mûres années ».

Il peut être prétentieux de parler de *Weltanschauung,* et pourtant, c'est bien cette *projection intérieure* qui permet de définir l'*inscape* dont parlait Gerard Manley Hopkins. C'est sur cette image-matrice que sont gravés les traits essentiels de la *conscience-de-soi-dans-l'univers* dont il est justement question ici. Il importe beaucoup de reconnaître qu'on est *anarchiste* (pas révolutionnaire), *pèlerin* (pas apôtre), *témoin* (pas acteur), et pourtant *participant* (pas spectateur), *créateur* (pas imitateur). Et quoi encore ?

Mes travaux des années 30, 40 et 50 portaient surtout sur les plantes et sur la sociologie végétale, alors que, dès les années 60, je m'orientais vers l'écologie humaine. Parallèlement, la pratique assidue de la littérature et de l'art, la préoccupation sociale avaient toujours occupé un espace et un temps assez considérables, mais en deçà de la profession. Et pourtant, l'activité explicitement politique (1932-1935, 1956-1959) et la participation sociale (depuis 1970) semblaient compromettre mon option (dans les années 30) pour la recherche et l'enseignement. Si je crois avoir maintenu cette priorité, il me faut bien reconnaître qu'elle a été contrariée par mes participations à des mouvements explicitement politiques.

Pour comprendre la récurrence du dilemme *action / création,* il faut se rappeler les contraintes de la société canadienne-française de 1920-1940. Mon ami André Laurendeau et moi n'avons jamais cessé de dialoguer sur ce thème, jusqu'à sa mort en 1968. Notre génération (la vingtaine en 1930) se demandait s'il fallait entrer dans l'action politique (à l'instar de Wilfrid Laurier, d'Henri Bourassa et d'autres compatriotes de grand talent) pour assurer la « survivance » de notre peuple et de notre culture ou bien, reconnaissant la pauvreté de ce patrimoine, oeuvrer dans la création artistique ou scientifique afin de nous assurer que ces biens valaient la peine d'être défendus. Il avait opté pour la première orientation, moi pour la deuxième. Et pourtant, l'un et l'autre quels retours en arrière n'avons-nous pas faits ?

Nous ne cherchions pas dans notre milieu « national » les nourritures et les modèles qui soutiendraient ces « raisons de vivre » dont chacun a besoin. Notre ami Saint-Denys Garneau ne les avait pas trouvées. Pour ma part, elles ne m'ont jamais manqué, car mon milieu familial était assez fort pour soutenir une confiance sans brisure dans un destin heureux où je poursuivrais une sorte d'accomplissement. À dix-huit ans, j'avais écrit un drame en trois actes intitulé « La hantise du bleu » où il s'agissait de la recherche de soi. André Laurendeau l'avait accompagnée en composant une sonate qui l'apparentait plutôt à Debussy qu'à Gershwin. Ma prose postromantique donnait dans une « inquiétude » pourtant énergique et optimiste. Si elle était mal nourrie par une prise trop exclusivement poétique sur le réel, il n'en reste pas moins qu'elle extrayait de mon subconscient un patron de motivation permanente. La rencontre de Marie-Victorin, l'apprentissage scientifique (1933-1939) et l'immersion dans d'autres cultures devaient me fournir l'orientation et les matériaux nécessaires à mon aventure personnelle et au service qu'elle pourrait rendre.

Il me faut sans doute évoquer (invoquer ?) le milieu familial pour retracer le caractère positif et optimiste de mon assurance intérieure. Des aînés dans mon entourage affirmaient, malgré les apparences, que je n'étais pas un « enfant gâté », et je veux croire que je leur aurai donné raison par mon acharnement au travail et par mon souci de l'ordre.

Il faudrait peut-être conjuguer les notions d'ordre, de succès, de progrès et de création pour rejoindre la structure de cette assurance foncière qui ne m'a jamais fait défaut.

17 juillet

Ceux qui nous accompagnent le temps de nous voir franchir un seuil après l'autre sont bien placés pour percevoir des fils conducteurs, pour dégager des constantes. Parents ou enfants, amis ou collègues, partenaires intellectuels ou amoureux, ils ont vécu des moments difficiles et partagé des bonheurs. Les uns feront un bilan positif, les autres passeront une réflexion amère ou exprimeront un désappointement. Le difficile examen de conscience qui permettrait à chacun de nous une autocritique lucide est presque impossible, et semble ne s'imposer que sporadiquement à la faveur d'une crise. Cette grâce jette une lueur brutale et n'éclaire pas toute une vie.

Les « journaux intimes » et les autobiographies des grands hommes sont presque toujours décevants. En lisant Amiel, on a l'impression qu'il n'a pas vécu à force de se regarder vivre. De Casanova à De Gaulle, combien d'égos encombrants ! Même en lisant l'admirable récit d'André Chouraqui (la perfection du genre) et les pages émouvantes de Gabrielle Roy, ne se demande-t-on pas s'il y a « un autre côté » ? Mais si cette autre face du personnage, ce sont les petites aventures d'un Jouhandeau et même les rancunes de Saint-Simon, sommes-nous plus près des *raisons de vivre* et pouvons-nous y situer les nôtres ?

Le présent exercice n'exige pas une connaissance de soi aussi profonde. Il s'arrête à la priorité des valeurs que chacun de nous applique au destin dont il se croit capable. C'est dans cette perspective que j'ai retracé, dans les pages qui précèdent, les trois courants principaux de ma motivation : amour de la *nature,* besoin d'*échange* et urgence de *témoigner.* Il ne m'appartient pas de placer mes talents et mon oeuvre (écrite, orale, active) dans une gamme d'excellence ni même de réussite. En répondant à la question qui m'était posée, je devais dire ce que je visais plutôt que ce que j'avais atteint.

Il me reste pourtant trois considérations essentielles à ajouter pour qualifier mon témoignage. Elles portent sur la réception de mes idées, sur mon appartenance politique et sur ma vie affective.

Le *jugement des pairs* (et des impairs) ne m'a pas trop influencé. Dans une conversation particulièrement heureuse avec Lewis Mumford, nous nous étions demandé quelle était notre réaction devant la critique et, plus largement, vis-à-vis de l'accueil que recevaient nos écrits. J'avais déjà réfléchi quelque part que je ne savais s'il fallait s'étonner davantage que certaines propositions aient été offertes par Mumford aussi tôt (1924) ou qu'elles aient été reconnues si tard (1960) ! (« Nul n'est prophète, ... » etc.) Il ressortait de nos confidences que nous n'étions pas très sensibles aux critiques défavorables (même injustes ou mal informées) et que les éloges non plus ne nous servaient guère. Autrement dit, l'*approbation* jouait au plus un rôle mineur et elle s'insérait peu dans notre motivation. Peut-être plus artistes que scientifiques, nous étions davantage préoccupés par la précision des mots, par la pénétration de la pensée, par la *formulation personnelle* d'une expérience que par son acceptabilité. Le poids fondamental de cette disposition me revenait à l'esprit quand j'entendais Gérard Pelletier, au cours d'un colloque, faire l'éloge de « l'ouverture d'esprit » d'André Laurendeau, un homme d'action plus curieux des arguments et de la personne de ses adversaires que de ses partisans. J'argumentais alors, précisément, en souvenir du grand bénéfice pour Laurendeau et pour moi de l'étalage de nos divergences. Ce n'est pas trop de parler de « malin plaisir » en évoquant le choc de l'effondrement d'une de vos idées au contact d'un interlocuteur qui vous remet (heureusement) en question. Largeur d'esprit ? dilettantisme ? perversité intellectuelle ? On pourra choisir son interprétation. Toujours est-il, en ce qui me concerne, que le bonheur de l'expérience, le travail de l'expression et l'achèvement par la communication occupent réellement toute la place et n'en laissent pratiquement pas à l'approbation.

L'*appartenance* à un groupe social ou politique est un sentiment qui a beaucoup varié chez moi depuis mon enfance où la *famille* était survalorisée par mes parents. Je ne dirai jamais, comme André Gide : « Familles, je vous hais. » Au contraire. Et je suis profondément attaché à la mienne. Mais, comme je l'écrivais en note infrapaginale dans une publication récente : « Qu'on veuille bien m'excuser de ne pas employer le terme *québécois,* d'adoption relativement récente. Dans mon enfance, j'étais *canadien* (les « autres » étaient *anglais*) ; les jésuites de mon adolescence m'avaient proclamé *canadien-français ;* je ne suis jamais devenu tout à fait *québécois.* » J'avais été *nationaliste* au début des années 30, premier président et fondateur des « Jeune-Canada. » Je me suis bientôt rallié à une tendance socialiste, sans jamais adhérer à un parti politique. En bon pionnier, j'ai été président-fondateur du « Rassemblement » (1956), mouvement d'éducation politique, non partisan et pourtant antagoniste au pouvoir conservateur provincial. Ces deux aventures parapolitiques m'auront valu des difficultés personnelles qui me laissent pourtant sans ressentiment. Si je dois non seulement mon avancement professionnel mais aussi un bon nombre d'expériences de recherche et d'enseignement en grande partie à des sociétés autres que la québécoise, je ne suis pas pour autant *aliéné.* Mais je ne suis pas fortement impliqué dans mon milieu immédiat, et mes efforts professionnels en 1991 se placent sur le plan mondial. Plusieurs épisodes de mon travail sont marqués par une empathie très forte pour un paysage et une population où je n'étais pas *étranger.* J'ai vu le Brésil, les États-Unis et la Nouvelle-Zélande de l'*intérieur.* Je me suis identifié à leurs besoins, aussi intimement me semble-t-il, qu'à ceux du Québec. Je ressens fort bien un sentiment de fierté quand le Québec élit un gouvernement d'aussi haute qualité que celui de 1976, quand il réussit un happening comme « Expo 67 », quand il crée un Musée de la civilisation exemplaire. Mais je n'arrive pas, en cette année de contestations constitutionnelles, à me passionner pour les réformes structurelles qui consacreraient les progrès scientifiques, économiques et culturels du groupe ethnique auquel j'appartiens. Les débats qui nourrissent ces contestations me paraissent mesquins en regard des grands malheurs du Bangladesh, de la détresse du Sahel, de la dévastation de l'Amazonie, du désarroi de l'U.R.S.S. Je n'ose pas me proclamer « citoyen du monde» — et pourtant, ma préoccupation la plus grande *c'est l'avenir de la planète,* puisque cette perspective est l'aboutissement inévitable de la problématique écologique de cette fin de siècle. Je veux inciter, avec les moyens dont je dispose, aux risques nécessaires : *la paix et le partage.* Je pense qu'il faut examiner les antagonismes du régionalisme et de l'interdépendance dans une perspective mondiale. La forme constitutionnelle que pourra adopter ma patrie devra s'y intégrer.

Le plus important reste à dire, et pourtant je n'en dirai rien de plus que l'essentiel. L'*amour* prend bien des formes. Dans ma famille, on s'embrasse beaucoup, et j'y aurai pris l'habitude de la communication corporelle, comme par exemple la pratiquent les Latins, bien en deçà de l'érotisme. L'affection aura complété et dépassé bon nombre de mes relations d'ordre social ou professionnel où des échanges qui n'avaient rien d'amoureux étaient véhiculés par une chaleur humaine très engageante. Mais l'Amour, c'est autre chose, et c'est ce que nous vivons depuis 56 ans, Françoise Masson et moi. On dit parfois d'une femme qu'elle suit son mari. Françoise m'aura plutôt accompagné. Nous avons vécu tous les épisodes importants ensemble : de la chaleur amazonienne aux glaces polaires ; du quartier latin de Paris aux salons de Park Avenue, New York ; des montagnes de la Nouvelle-Zélande aux steppes du Zaïre ; à dos de mulet aux Canaries, en jeep à la Côte-d'Ivoire, en cargo sur l'Amazone, en paquebot de luxe transatlantique, en avion au-dessus du Pacifique. Nous avons noué, souvent à quatre, des amitiés durables et fécondes. Mais nous avons surtout mutuellement éclairé nos paysages intérieurs. J'écrirais volontiers un Cantique des cantiques pour chanter ma joie et ma reconnaissance et pour dire la beauté, la sensibilité et la générosité de ma compagne, au risque de brûler ces pages. Mais le « bienveillant lecteur » n'a pas à pénétrer si loin dans mon intimité. La vision d'artiste qui est la sienne et la méthode scientifique qui est la mienne ne se sont jamais heurtées. Je ne prétends pas que nous avons écarté toutes les causes de conflit ni que nous avons toujours réussi des compromis acceptables, mais je n'hésite pas à dire que le partage a été harmonieux et que la paix et la beauté du foyer sont la matrice même de notre développement personnel. Plus sensible que moi aux besoins et à la détresse des autres, elle a maintenu les droits du coeur quand la quête intellectuelle se faisait trop urgente, et que les devoirs professionnels masquaient les responsabilités humaines.

En un mot : je suis un homme heureux, malgré les angoisses et les incertitudes, les revers, les incompréhensions qui ont parfois tendu des obstacles sur mon chemin. Une certaine *autonomie* dans ma recherche des structures naturelles et sociales ; un sentiment de *service* à rendre par l'enseignement et l'action sociale et le soutien d'un *amour* partagé ont été mes *raisons de vivre.*

En retour de ces confidences, cher Étienne, je ne te demande pas l'extrême-onction, même si je suis relativement prêt à partir. Il me reste l'espoir d'ajouter à mon message et de participer à un autre chapitre d'histoire.

Très cordialement,
Pierre Dansereau

Les ouvrages suivants pourront être consultés si l'on s'intéresse à un développement plus approfondi des idées et des expériences qui font l'objet de ce texte.

DANSEREAU, Pierre. 1963. « The barefoot scientist ». Colorado Quarterly, 12(23): 101-115; aussi dans *Institute of Arctic and Alpine Research, Contribution* 10, p. 101-115.

________. 1964. *Contradictions & biculture.* Éditions du Jour, Montréal, 222 p.

________. 1973. *La terre des hommes et le paysage intérieur.* Éditions Leméac, Montréal, 191 p.

________. 1980. *Harmonie et désordre dans l'environnement canadien.* Conseil consultatif canadien de l'Environnement, Ottawa, Rapport N° 3, vi + 89 p.

________. 1983. « Impact de la connaissance écologique sur l'éthique de l'environnement ». *Cahiers de la Recherche éthique, # 9 : Écologie et environnement,* éd. par Jacques Tremblay, Fides, Montréal, pp. 9-30.

________. 1991. *L'envers et l'endroit : le désir, le besoin et la capacité.* Musée de la civilisation, Québec, Les Grandes Conférences, 79 p.

DUMESNIL, Thérèse. 1981. *Pierre Dansereau : l'écologiste aux pieds nus.* Nouvelle Optique, Montréal, 215 p.

ALBERT JACQUARD

« Comme il paraît dérisoire de penser ce monde à partir des réflexions longtemps affinées à propos d'un autre univers des hommes, celui d'hier, un univers qui n'est plus ou qui bientôt ne sera plus » (Voici le temps du monde fini, Paris, Seuil, p. 123). Ces quelques phrases du dernier livre d'Albert Jacquard illustrent bien le parcours de l'auteur : penser le monde tel que les sciences d'aujourd'hui nous le révèlent.

Généticien de formation, longtemps directeur à l'Institut national d'études démographiques (Paris) et professeur à plusieurs universités, Albert Jacquard s'intéresse à la vulgarisation de la science et surtout aux débats éthiques et sociaux soulevés par les nouvelles questions scientifiques. En témoignent, entre autres, Éloge de la différence (Paris, Seuil, 1978, 1981), Au péril de la science ? Interrogations d'un généticien (Paris, Seuil, 1982), Cinq milliards d'hommes dans un vaisseau (Paris, Seuil, 1987). Comme Hubert Reeves, comme Pierre Dansereau, Albert Jacquard est un scientifique humaniste pour qui la recherche scientifique ouvre un horizon incessant de questions nouvelles.

Les jeux et les enjeux de « JE »

PHOTO : JEAN-FRANÇOIS LEBLANC

DEUX SOUVENIRS RÉCENTS

Dans une classe pour « enfants en difficulté, » ce que beaucoup d'enseignants traduisent par « enfants débiles », après une bonne heure d'échanges, un petit garçon me pose la question qui lui brûle les lèvres : « Mais monsieur, qu'est-ce qui vous fait vivre ? » Il ne s'agissait pas, bien sûr, des mécanismes administratifs qui assurent mes fins de mois. Il entendait chaque jour, à la maison ou à l'école, parler de cette « chienne de vie », se plaindre du quotidien, se révolter d'avoir à vivre alors qu'« on n'a pas demandé à naître ». Et il était tout surpris d'avoir devant lui un vieux monsieur qui évoquait la vie d'homme comme le plus merveilleux des cadeaux, qui lui montrait, à travers toutes ses paroles, qu'il recevait chaque journée nouvelle comme une oeuvre à poursuivre. « Mais monsieur, pourquoi ? »

À la fin d'une conférence devant plusieurs centaines d'instituteurs ou professeurs, vient le moment du dialogue avec la salle. La première question se fait attendre. C'est une petite fille — 11 ou 12 ans sans doute — qui ose se manifester : « Monsieur, pourquoi je suis née puisque je dois mourir ? ». Tout est dit.

Mes réponses se veulent argumentées, basées sur des raisonnements. Spontanément je réponds en scientifique, en généticien qui a eu l'occasion de réfléchir sur l'extraordinaire aventure de l'univers, parti du chaos monotone de l'après-Big Bang, et qui a réussi après 15 millions d'années d'efforts, d'avancées, de ratages, de reculs, de réussites imprévisibles, à me faire. « Je » (c'est-à-dire tout être humain) suis la fine pointe de la flèche lancée par l'univers vers la réalisation d'objets dotés de pouvoirs toujours plus étranges ; et j'ai reçu le pouvoir de me donner à moi-même, le pouvoir de dire « je ».

Oui, ce constat est émerveillant et je vais ici aussi, le décrire. Mais, en me bornant à ces arguments dits scientifiques, je camoufle une grande part de la vérité. Tout cela c'est mon cerveau qui l'emmagasine, le met en forme, l'articule, l'exprime. Mais le bonheur de vivre ne vient pas que du cerveau, il vient de tout l'être : il est débordement, puissance, ravinement d'un torrent d'autant plus joyeux de bondir de rocher en rocher qu'il a cru s'arrêter pour toujours dans un marécage.

Y aurait-il joie de vivre s'il n'y avait angoisse de la non-vie ? L'attitude face à la vie dépend de l'expérience de la mort ; non de la mort des autres, extérieure même lorsqu'elle est dramatiquement ressentie, mais de sa propre mort, entrevue proche, inéluctable, enveloppante, facile, presque douce, comme un espace où « je » ne sera plus.

Je l'ai évoqué ailleurs.[1] J'avais 9 ans. Un accident sur la route entre Mâcon et Lyon me fait me réveiller dans la salle de l'hôtel-Dieu réservée à ceux qui vont mourir. À côté de moi ma grand-mère agonisait —

1. *Idées vécues — avec Hélène Amblard. Flammarion, 1984.*

je savais que pour elle c'était la fin. Et pour moi? Mon souvenir est de m'être débattu sans pouvoir bouger, d'avoir crié sans pouvoir émettre un son; la porte se refermait qui allait me séparer des vivants. Sans raison apparente, elle s'est de nouveau ouverte. J'étais du bon côté; la souffrance physique est revenue, mais avec elle, submergeant toute douleur, le bonheur du torrent intérieur retrouvé.

Toutes les cellules de mon corps « savent » qu'elles auraient pu se dissoudre; elles sont là, elles fonctionnent; l'influx nerveux court de neurone en neurone; des millions de synapses à chaque seconde émettent leurs neurotransmetteurs; des valves s'ouvrent et se ferment; des globules blancs se sacrifient pour éliminer les corps étrangers. Tout ce fabuleux édifice est au service d'un seul objectif: ma capacité à dire « je » — comme il a bon goût le plat dont on a cru être privé, comme on le dévore avec appétit!

Le premier objectif de toute éducation devrait être d'accroître ou de susciter cet appétit. Par chance, beaucoup d'enfants n'ont pas l'expérience de leur mort possible, proche; ils ne vivent pas l'instant qui se présente faussement comme le dernier. Il faut leur faire peser à son poids véritable le cadeau qu'ils ont reçu; non le cadeau de la « vie », ce qui n'a guère de sens, mais le cadeau d'une vie d'être humain à construire, comme un sculpteur qui se voit offrir un marbre à transformer en statue.

Il m'arrive, lorsque je sens se relâcher l'attention de mes élèves, de les interpeller: « Regardez bien votre professeur, regardez! C'est une merveille ». Interloqués, ils ricanent, ne comprenant pas le sens de ce discours hors sujet. « Oui! regardez bien, c'est une merveille ». L'évidence est enfin perçue : le disant de moi, je le dis de tout être humain. Comment justifier cet émerveillement ?

Par l'histoire de notre espèce. Cette histoire ne commence pas il y a 2 ou 3 millions d'années avec les premiers « Homo » ; elle commence avec l'univers aussitôt après le Big Bang. Bien sûr, ce « Big Bang » est plus une façon de camoufler notre ignorance par un mot qu'une description d'un événement. Mais nous savons qu'aussitôt après cet instant initial, notre univers était homogène. Tout était partout identique : aucune structure, aucune organisation. Il se trouve que les forces qui gouvernent les modifications des objets élémentaires constituant cet univers ont une résultante globale qui est un élan vers la complexité. Peu à peu des ensembles plus riches, réalisant entre leurs éléments des rapports plus nuancés, se mettent en place. Leur complexité les dote de pouvoirs nouveaux. La flèche du temps se manifeste par l'apparition d'objets toujours plus riches, donc possédant des potentiels toujours plus étendus.

Ce processus de complexification est très lent. Un peu partout, il n'a abouti qu'à des réalisations bien dérisoires. Il se trouve qu'à la surface de notre terre (peut-être aussi ailleurs, mais qu'importe !), il a été accéléré grâce aux couches protectrices que sont les océans, l'atmosphère, les ceintures de Van Allen. En quelques milliards d'années, grâce à la réalisation de la molécule d'ADN capable de se reproduire — donc de s'opposer au rôle destructeur du temps — et grâce surtout à la mise en place du processus de procréation, permettant la construction d'un être nouveau à partir de deux, le cheminement vers la complexité a été accéléré. Il a abouti au chef-d'oeuvre local qu'est le cerveau humain, structure intégrée de 100 milliards de neurones connectés par un million de milliards de synapses. Cet objet, champion de la complexité, se trouve doté de pouvoirs que ne possède aucun autre objet.

Ces pouvoirs ont, au cours des quelques centaines de milliers, ou des quelques millions d'années de l'histoire humaine, été utilisés pour réaliser une structure que la matière n'avait pas programmée, que les hommes ont voulue : l'humanité. Faite d'éléments, les individus en interrelations, capables de mettre en commun interrogations, compréhensions, angoisses, espoirs, cette humanité est un « objet » plus complexe encore que chaque homme, donc riche de pouvoirs qu'aucun homme ne possède, mais dont elle fait bénéficier chacun.

Le plus décisif de ces pouvoirs est la capacité de faire émerger une personne, là où la matière ne pouvait que faire apparaître un individu. Il est ainsi possible de proposer une réponse au paradoxe de la double nature apparente de l'être humain, à la fois corps et âme, organisme et esprit. En fait, il n'a pas une double nature, il bénéficie d'une double source : celle du patrimoine génétique qu'il a reçu de ses parents et qui lui permet de réaliser des organes qui fonctionnent, des yeux qui voient ; celle de la société humaine à laquelle il appartient et qui lui permet de prendre conscience du fonctionnement de ces organes, de dire « je vois ».

Sans la deuxième source il serait capable de voir, mais non de se savoir voyant. Son « je » n'a pu apparaître que grâce aux « tu » que d'autres lui ont adressés.

Faire un homme ce n'est pas seulement lui fournir des gènes d'hommes, c'est aussi l'intégrer dans la société des hommes et lui faire partager les richesses que cette société a accumulées au cours de son histoire.

L'aventure de chacun ne peut se développer qu'en liaison avec l'aventure collective. Elle en est un élément tout en la reflétant dans sa totalité, à la façon d'un fragment d'hologramme riche de la totalité de l'image. Je suis Albert Jacquard, je suis aussi tout ce que d'autres m'ont transmis d'eux-mêmes, les uns par un sourire, d'autres par quelques mots, certains par de longs discours. Je suis ce que Socrate, Jésus, Montaigne, Voltaire, ont éveillé en moi, je suis le tremblement qu'a provoqué en moi telle agression inattendue ; je suis la dilatation due à tel regard.

« Je » est les autres, unifiés en moi. Avec cette réflexion, je peux répondre au petit garçon inquiet de « ce qui me fait vivre » : c'est le sentiment de participer à une aventure collective dont l'avenir dépend de tous, donc de moi. Il n'était pas fatal que les hommes apprivoisent le feu, inventent le sourire, la parole, l'écriture. Ils l'ont fait et ont pris en main leur propre histoire. Certes, ils sont soumis à des contraintes, notamment à la finitude de la planète Terre, mais l'essentiel est orienté par eux.

Il se trouve que nous vivons une période de quasi-folie de l'humanité. Inconsciente des conséquences de ses actes, elle s'est donné des objectifs qui vont à l'encontre de son développement. Depuis quelques siècles et surtout depuis quelques décennies, il n'est question que de compétition, de lutte, de croissance des uns au prix de la misère des autres ; la religion dominante est celle de la violence. Chacun doit devenir un gagnant, comme si un gagnant n'était pas d'abord un fabricant de perdants. Il y a urgence à réveiller les hommes d'aujourd'hui de leur rêve de puissance et à leur faire comprendre que le seul objectif digne de l'humanité est de réaliser un peu plus d'égalité entre les Terriens, de donner à chacun d'eux la possibilité de se construire un destin. Ceux d'entre nous qui sont assez lucides n'ont guère à se poser de question sur l'utilité de leur vie ; il s'agit d'éviter une catastrophe nullement fatale puisqu'elle n'est due qu'à l'aveuglement des hommes. Ce qui me fait vivre est le sentiment de participer à une nécessaire révolution du regard des hommes sur eux-mêmes. Mon pouvoir est certes bien faible. Mais qui est dépositaire d'un grand pouvoir ? Certainement pas les chefs d'État ou les chefs d'armée ; ils peuvent provoquer d'irréparables destructions, mais ils ne sont pas capables de transformer les esprits. Ceux qui le peuvent sont ceux dont la parole est écoutée : enseignants, écrivains. Aujourd'hui, au bord de l'abîme, il faut dire et redire qu'une autre voie est possible, et nécessaire. Chacun doit s'y employer quelle que soit l'audience dont il dispose. Souvenons-nous de Jeanne d'Arc répondant à ses juges qui lui reprochaient de s'être mêlée, elle petite bergère, des affaires du royaume : « Si ce n'est moi, ce sera qui ? Si ce n'est maintenant, ce sera quand ? »

La réponse à la petite fille qui se sait mortelle est plus difficile. Il faut l'admettre, l'aventure personnelle aura un terme dans quelques décennies, l'aventure collective dans quelques millions d'années, au mieux dans 5 milliards d'années lorsque le Soleil achèvera son cycle.

Mais pourquoi accorder de l'importance à la durée au-delà de notre propre durée. Le temps est défini par l'existence des choses. Les astronomes nous expliquent que la question de l'« avant-Big Bang » n'a pas de sens, car il n'y a pas d'« avant l'univers ». Mon temps personnel a commencé et s'arrêtera ; mais je ne serai pas mort, car le verbe *être* ne peut se conjuguer à la première personne qu'à condition d'être vivant. L'important est ce qui se passe avant la fin. Sans réfléchir assez, on a donné un nom à l'« après » : l'éternité. Mais rien n'est définissable au-delà de ce mot. Mon temps personnel arrêtera le compte des instants successifs ; il s'engloutira dans un « chronon », un atome de temps, insécable mais de durée non nulle où les notions d'avant et d'après perdront tout sens.

J'ai mieux à faire que de dilapider mes instants de vie à m'angoisser de la non-vie. La joie du torrent est dans la rencontre des rochers.

Albert Jacquard

Envoi

L'éditeur et le directeur du présent dossier tiennent à remercier Antonine Maillet, Hubert Reeves, Guy Corneau, Agnès Grossmann, Pierre Dansereau et Albert Jacquard d'avoir eu foi dans le présent projet et d'y avoir collaboré avec enthousiasme. Particulièrement, il convient de rendre hommage à Hubert Reeves qui, le premier, a acquiescé à l'idée et s'en est fait comme le parrain.

Six personnes ont accepté d'entrer dans la confidence. Elles ont voulu, par leur témoignage, aider leurs lecteurs, leurs lectrices à se dire pour soi-même leurs raisons de vivre et d'espérer. Elles ne proposent pas un système religieux, philosophique ou politique, ni un cadre de pensée fermé. Elles ont dit simplement leur chemin en souhaitant que votre propre route croise la leur et que vous entendiez le cri de leur coeur.

Le présent livre n'est donc pas achevé. Il continuera de vivre chez les hommes et les femmes qui, l'ayant lu, relaieront à leur tour le souffle de la vie qui s'y est manifesté.

Si vous avez le goût de prolonger le dialogue entrepris, nous vous invitons à écrire vos réactions à l'éditeur.

Nous transmettrons copie de vos réactions aux auteurs concernés, mais, compte tenu de leurs occupations professionnelles très nombreuses, nous ne pouvons vous garantir que vous recevrez de ces auteurs une réponse personnelle. Mais votre réaction les intéresse au plus haut point et il n'est pas impossible qu'il y ait une suite au présent livre. Si vous nous écrivez, n'oubliez donc pas de joindre vos coordonnées : nom, adresse et numéro de téléphone.

André Beauchamp, directeur du projet

Jo Ann Champagne, éditeur

Les Éditions l'Essentiel Inc.
Casier postal 208,
Succursale Roxboro
Roxboro, Québec
CANADA
H8Y 3E9